JN110642

サッカーのまち清水

This town has produced many famous football players.

― 2021年版 ―

著：風岡範哉　画：イラストレーター JERRY

Parade Books

はじめに

静岡県にある旧清水市は、平成15（2003）年に静岡市と合併し、現在は静岡市の一部（清水区）となっています。しかし、国内外で活躍する清水出身者の多くは、「出身地はどこですか？」と聞かれれば、「清水です。」と答えることでしょう。

清水市民の多くは、“清水”を愛し、“清水”に誇りを持っています。

清水は、日本平の東麓に位置し、富士山を望む港町です。天然の良港である清水港の発展とともに賑わい、また、東海道の宿場町として栄えてきました。

羽衣伝説で知られる『三保の松原』や『日本平』、『薩埵峠』から望む富士山は美しく、『船越堤公園』や『御殿山』などは桜の名所といえます。『清水みなと祭り』や『清水七夕祭り』は毎年50万人を超える人出でにぎわい夏の風物詩となっています。

また、何と言っても清水は、少年サッカー発祥の地でもあり、“サッカーのまち清水”として知られてきました。「出身はどこですか？」と聞かれ「清水です」と答えれば「あのサッカーで有名な」となったわけです。

そんな活気あふれる“清水”が市民にとっても誇れるものとなっていました。

ところが、平成15年に静岡市と合併して以降、当然にすべてが“静岡市の○○”になり、街づくりの機能の中心は旧静岡市へと移っていきます。“清水”としての独自文化や観光資源の魅力が薄れつつあることを肌で感じることとなります。それは、かつて清水市役所にあった“サッカーのまち推進室”が、旧静岡市エリアに移り、“サッカーのまち静岡”を推進するスポーツ振興課になったことに象徴されます。

そこで、あらためて、清水ブランドの再構築とサッカー王国の復権を願うことにしました。

第一に清水ブランドの再構築です（ブランドとは、ここでは、他地域にはない魅力、付加価値をいいます）。清水に活気がでて“住んでよし、訪れてよし”となるためには、港を中心に豊富な観光資源に囲まれ、サッカーのまちとしての魅力を県内外にPRして行かなければなりません。清水のブランド価値が高まり活性化していくことで、ひいては静岡市全体の活性化につながります。そこで、清水の魅力をあらためて見つめ直すことにしました。

第二にサッカー王国清水の復権です。かつて清水は、小・中・高校サッカーで数々のタイトルを獲得し圧倒的な強さを誇りました。ところが、全国的なサッカーのレベルの向上によりなかなか他を圧倒することができない時期が続いています。今の子供達はサッカー王国清水といわれてもピンとこないかもしれません。そこで、今の少年少女たちに向けて、生まれ育ったサッカー王国清水という誇りを胸にすばらしいサッカー選手になってくれることを期待することにしました。

そんなことを考えているさなか、ふと立ち寄った洋服屋でＴシャツに描かれたイラストを見かけ、心を奪われました。世界のサッカー史に残る名シーンとともにヨーロッパを代表するキープレイヤーたちが描かれています。そのかわいらしい姿は思わずクスッと笑ってしまうような印象的なものでした。そこで、イラストを手掛けていたJERRY氏に清水とサッカーを題材としたイラストをお願いし、Ｔシャツや雑貨といったオリジナルグッズを制作することとしました。本書において、ここで使われたイラストを紹介するとともに清水の魅力を再認識してみたいと思います。

令和２年４月　　　風岡範哉

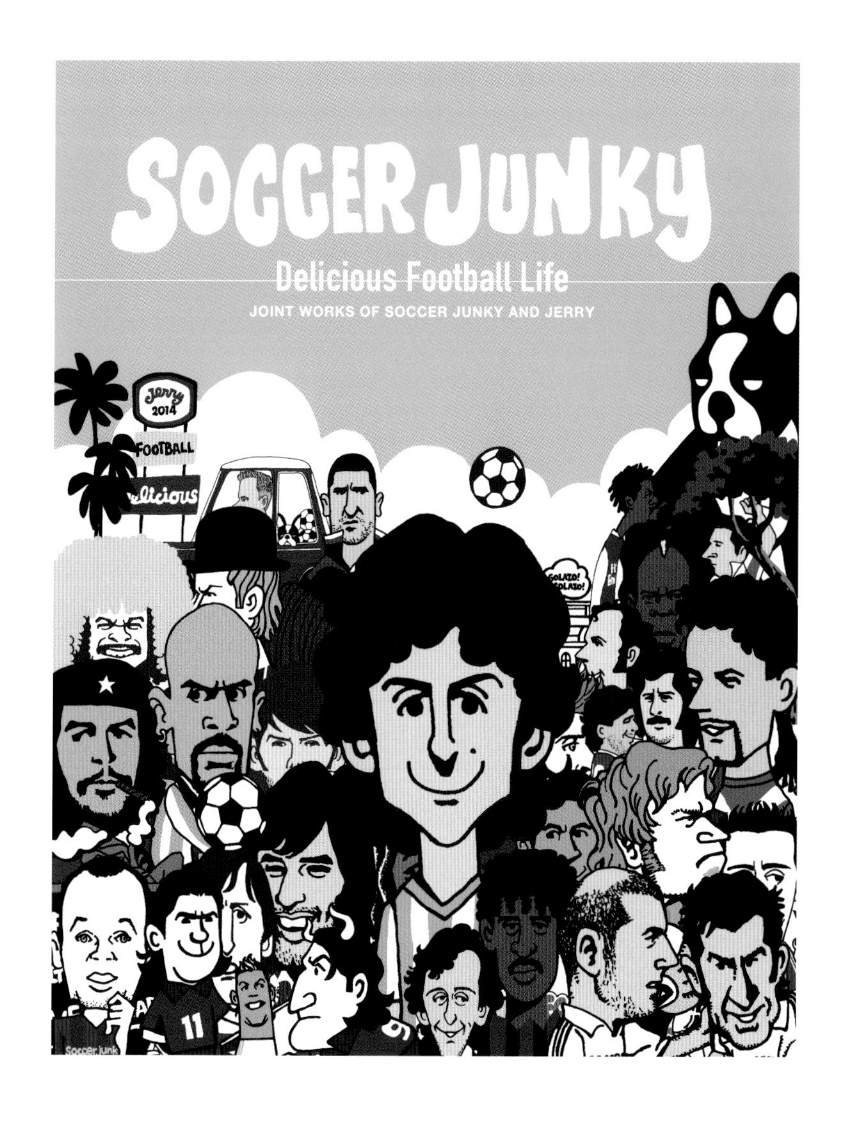

日本国内のサッカー王国と言えば高校サッカーの強豪が軒を連ねる静岡県の清水。数多の有名選手を送り出した街としても有名です。近年少々他地域に押され気味な清水サッカーの復権を願ってこのたび「清水サッカー」とコラボさせていただきました。

イラストレーター JERRY

contents

第1部　清水ブランドの再構築

清水について ………… 08

市章／イメージカラー／清水の歴史／清水の特色

清水港 ………… 16

河岸の市／清水マリンパーク／エスパルスドリームプラザ

三保の松原 ………… 24

日本平 ………… 28

童謡「赤い靴」

富士山 ………… 33

清水次郎長 ………… 38

次郎長生家／船宿　末廣

ちびまる子ちゃん ………… 43

清水のまつり ………… 46

清水みなと祭り／清水七夕祭り

東海大学海洋科学博物館 ………… 50

海洋文化都市しみず ………… 52

清水のこれから ………… 55

第2部　サッカーのまち清水

サッカーのまちのはじまり ………… 60

市民とサッカー ………… 63

清水FC（ジュニア） ………… 66

中学サッカーと清水 ………… 72

高校サッカーと清水 ………… 74

清水桜が丘高校（旧清水商業） ………… 76

清水東高 ………… 81

東海大翔洋（旧東海大一高） ………… 84

静岡学園 ………… 86

清水エスパルス ………… 98

清水エスパルスユース ………… 101

ユース（高校年代）／ジュニアユース（中学年代）／ジュニア（小学生年代）

清水第八プレアデス（旧清水第八スポーツクラブ） ………… 110

清水から世界へ ………… 112

第1部

清水ブランドの再構築

清水について

まずは「清水」について紹介することにします。清水は、静岡県の中部に存在し、人口約23万人が暮らす地域です。

清水に人々が生活し始めたのは、遺跡などから紀元前数千年の昔と考えられています。温暖な気候で、山の幸・海の幸に恵まれ、陸海交通の便利さなどから生活に理想的な環境を備えた土地として早くから開けてきました。

大正13(1924)年、当時の清水町・入江町・三保村・不二見村が合併し、清水市が誕生しました。市の名前をめぐっては、「江尻清水市」や「巴市」、「清見潟市」などが検討されたようですが、最終的には清水市となりました。

25.34㎢ではじまった清水市は、その後、周囲の飯田村、高部村、有度村などを編入し226.1㎢となります。

そして、平成15(2003)年4月1日、旧静岡市との合併により、現在は静岡市清水区となっています。

清水は、駿河湾・折戸湾に臨む清水港を中心に、古くから海運の中継地や水軍の基地として発展した港町です。戦国時代には、今川氏、武田氏、豊臣氏などに戦略上の要衝として活用されました。昭和27(1952)年に外国貿易の増進に重要な役割を果たすものである「特定重要港湾」の指定を受け、高度経済成長期に産業都市として大きく成長しました。

江尻・興津・由比・蒲原はそれぞれ旧東海道の宿場町として栄えた歴史を持ちます。清水で有名な歴史上の人物といえば、幕末から明治にかけて活躍した清水次郎長でしょう。

文化面では、漫画家さくらももこ原作の漫画「ちびまる子ちゃん」の舞台として、また、Jリーグ清水エスパルスのホームタウンとして全国的にも知名度を上げています。

観光面では、『三保の松原』や『日本平』、『薩埵峠』から望む富士山は美しく、山岡鉄舟ゆかりの『鉄舟寺』、最後の元老である西園寺公望公の別荘を復元した『興津坐漁荘』、大正時代の洋館で知られる『旧五十嵐邸』、

(写真：清水港湾事務所)

宿場の面影を残す『由比本陣公園』など歴史的な建造物も多数あります。

清水の特産物は、お茶やみかんの生産が有名で、日本でも有数なバラの生産地でもあります。水揚げ日本一を誇る(冷凍)マグロ、駿河湾で獲れるシラスや桜えびなどの海産物は、海の幸に恵まれた街ならではの味として親しまれています。

そんな清水は、現在でも、港を中心としたまちづくりが進められており、中部横断自動車道や新東名高速道路の整備が促進されることにより、グローバルな物流経済拠点として更なる発展が期待されています。

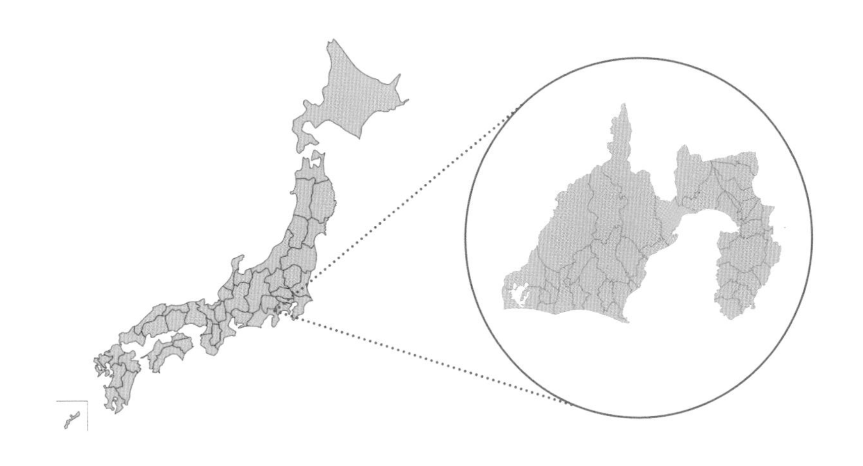

■ 市章

清水市(～平成15年)

“清”という文字を図案化したもので、市民の郷土愛と市民意識を高めるためにつくられたのものです。特に、平和・協同・発展を願って作成されています。

静岡市(平成15年～)

静岡・清水、そして新「静岡市」の頭文字「S」を発想の基本に、自然と都市機能が見事に調和した豊かな都市イメージを表現しています。

日本のシンボルである富士山と駿河湾の波のシンプルな造形が、活力あふれる未来、交流・連帯を基盤に飛躍する新しい都市、広がる市民の豊かな暮らしを感じさせます。

シンボルカラーの「ブルー」は、清潔感と透明性を表し、空や海のようにどこまでも続く国際性、開放感を表現しています。

■ イメージカラー

清水のイメージカラーは青。海や空の色である青は無限の可能性を持っている色です。アクアブルーは「清水港・みなと色彩計画」のシンボルカラーでもあります。明るい青は、透明性、落ち着き、知的、広がり、さわやかさ、清潔、美しさ、信念を連想する色です。国際海洋文化の拠点として、暖かい人の交流があり、世界に広がっていく清水区にふさわしい色として選定されました。

■清水の歴史

明治22(1889)年	東海道本線が開通し、江尻駅(現清水駅)が開設される。 町村制施行に伴い、有渡郡に清水町・入江町・不二見村・三保村が発足、庵原郡に江尻町が発足。
明治26(1893)年	江尻町から辻村が分立。清水次郎長死去。
明治29(1896)年	有渡郡が廃止され、安倍郡に編入される。
明治32(1899)年	清水港が貿易港の指定を受ける。
明治45(1912)年	日本初の鉄筋コンクリート製灯台(三保灯台)初点灯。
大正7(1918)年	辻村が町制を施行し、辻町となる。
大正13(1924)年	安倍郡入江町が庵原郡江尻町・辻町を編入する。 清水町、入江町、不二見村、三保村が合併し、面積25.34㎢、人口約43,000人の清水市となる。
昭和22(1947)年	清水みなと祭り始まる。
昭和23(1948)年	清水サッカー連盟創立。
昭和27(1952)年	清水港が特定重要港湾に指定される。
昭和28(1953)年	清水七夕祭り始まる。
昭和29(1954)年	庵原郡飯田村を編入する。
昭和30(1955)年	安倍郡有度村、庵原郡高部村を編入する。
昭和33(1958)年	旧有度村のうち中吉田・平沢・谷田の一部・中之郷の一部が分離し、静岡市に編入される。
昭和36(1961)年	庵原郡興津町、袖師町、庵原村、小島村、両河内村を編入する。
昭和39(1964)年	日本初の少年団として江尻小サッカークラブが登録される。
昭和44(1969)年	東名高速道路清水IC開通。
平成2(1990年)年	アニメ「ちびまる子ちゃん」が放送開始。
平成3(1991)年	清水エスパルス創立。
平成5(1993)年	中之郷・谷田・草薙の一部が分離し、静岡市に編入される。
平成13(2001)年	特例市となる。
平成15(2003)年	旧静岡市と合併して、新たに静岡市が設置される(静清合併)。
平成17(2005)年	静岡市が政令指定都市に移行。葵区、駿河区、清水区が設置される。
平成18(2006)年	庵原郡蒲原町域が清水区の一部となる。
平成20(2008)年	庵原郡由比町域が清水区の一部となる。
平成24(2012)年	新東名高速道路の一部区間開通・清水連絡路開通。
平成25(2013)年	三保の松原が富士山世界遺産に登録される。
平成31(2019)年	中部横断自動車道 新清水JCT-富沢IC間の静岡市内区間が開通。

大正13(1924)年に
清水市が誕生してから
令和6(2024)年で
100年になる。

日本平からみた清水の街並み（写真：Mt223N / PIXTA）

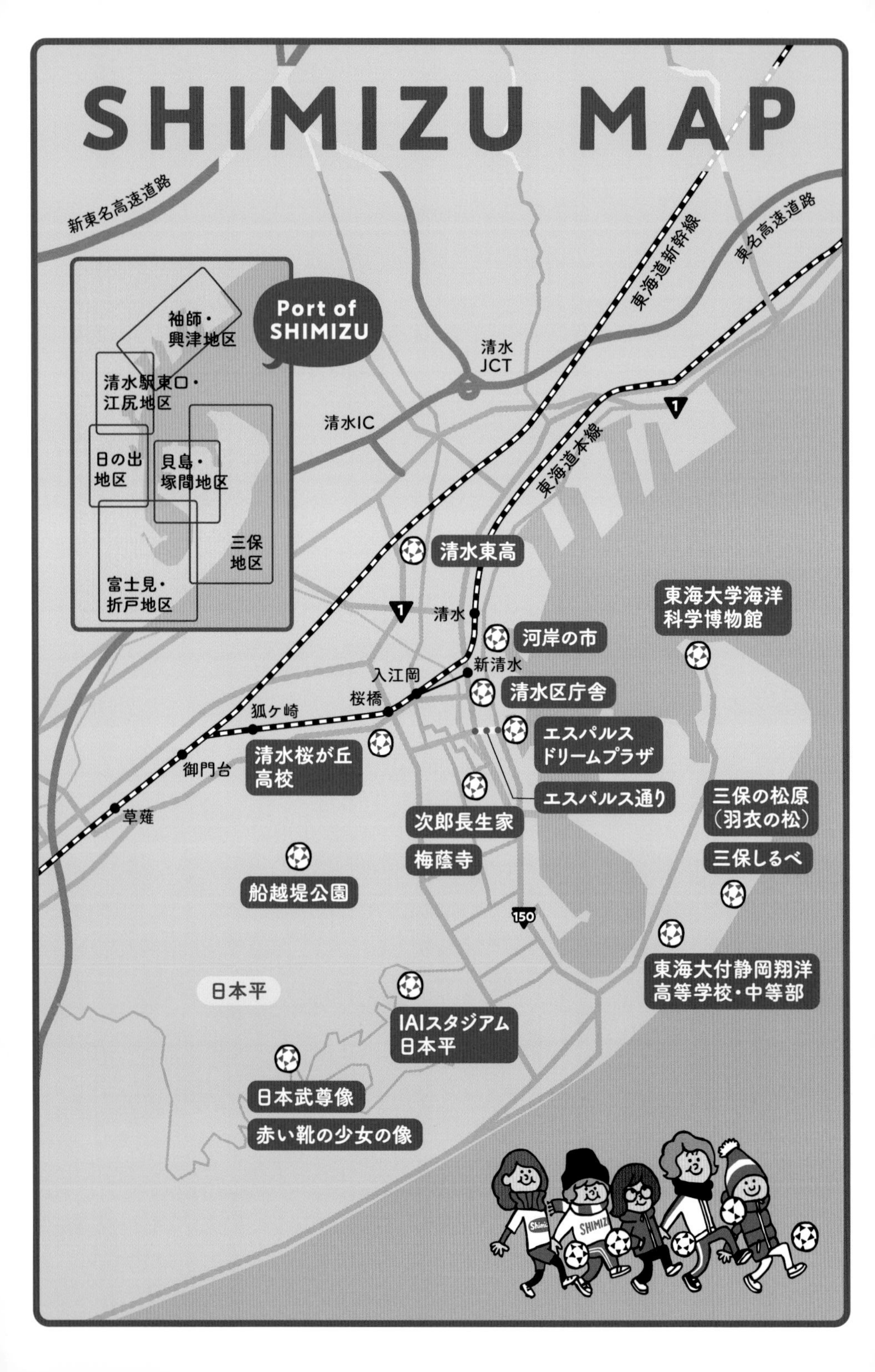
SHIMIZU MAP
新東名高速道路
東名高速道路
東海道新幹線
東海道本線
Port of SHIMIZU
袖師・興津地区
清水駅東口・江尻地区
日の出地区
貝島・塚間地区
三保地区
富士見・折戸地区
清水JCT
清水IC
1
清水東高
清水
河岸の市
新清水
入江岡
桜橋
狐ケ崎
御門台
草薙
清水区庁舎
エスパルスドリームプラザ
清水桜が丘高校
エスパルス通り
次郎長生家
梅蔭寺
船越堤公園
東海大学海洋科学博物館
三保の松原（羽衣の松）
三保しるべ
150
東海大付静岡翔洋高等学校・中等部
日本平
IAIスタジアム日本平
日本武尊像
赤い靴の少女の像
SHIMIZU

■清水の特色

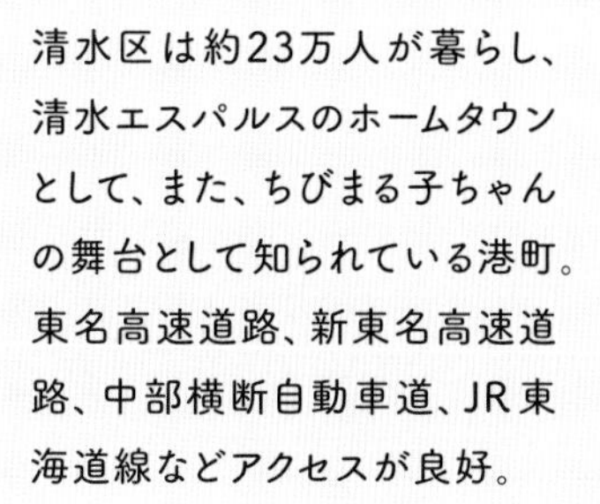

1. 恵まれた自然

①清水港

②三保の松原と富士山

③日本平

2. 歴史

①東海道(江尻宿、興津宿)

②清水次郎長

3. 市民文化

①サッカーのまち

②ちびまる子ちゃん

③清水みなと祭り、清水七夕祭り

④食:海鮮、マグロ、缶詰、桜えび、シラス、お茶、みかん

4. 交通網

①JR東海道線、静岡鉄道

②東名高速道路、新東名高速道路、中部横断自動車道

③国道1号線、静清バイパス

静岡市は、冷凍マグロの水揚量全国第1位(静岡県調べ)、まぐろへの支出金額全国第1位(平成30年総務省統計局調べ)、緑茶への支出金額全国第1位(同)、シラス干しの購入数量全国第1位(同)、干しアジの購入数量全国第1位(同)、かつおの輸出量・輸出額全国第1位(平成30年静岡県調査)、共働き子育てしやすい街第1位(平成27年日経DUAL)となっています。

清水港

清水港は、日本一深い駿河湾(水深約2,500m)に面し、静岡県のほぼ真ん中に位置しています。

江戸時代、将軍職を二代将軍・秀忠に譲った徳川家康が駿府に居住したことで、巴川岸にあった清水湊は商業港、海の宿場としても発達しました。

その後、日の出地区に波止場が築かれ、これを起点に、明治から昭和、平成にかけて、造船業、鉄鋼業、製材業、物流、漁業などの様々な産業が集まることで、港湾工業都市として賑わい、活気にあふれました。

昭和4(1929)年にはじめてマグロのツナ缶を製造した地でもあり、全国のツナ缶(一般にははごろもフーズ(株)の登録商標である“シーチキン”が有名)の生産の9割以上を占めています。

日本全国の港には、国際ハブ港である「国際戦略港湾」が5港、国際海上貨物輸送網の拠点となる「国際拠点港湾」が18港ありますが、清水港は国際拠点港湾の一つに位置付けられています。その23の主要港湾*のうち、面積は小さい方ですが、面積当たりの貿易額は東京湾に次ぐ2位となっています。

＊日本の主要港湾

国際戦略港湾	国際拠点港湾
東京、横浜、川崎、大阪、神戸	室蘭、苫小牧、仙台塩釜、千葉、新潟 伏木富山、清水、名古屋、四日市 堺泉北、姫路、和歌山下津、水島 広島、下関、徳山下松、北九州、博多

また、平成元（1990）年2月には、豪華客船「クイーン・エリザベス2」が初めて清水港へ寄港し、それ以降、「飛鳥Ⅱ」や「セレブリティ・ミレニアム」をはじめとして多くの豪華客船が寄港する港となっています。

世界的なクルーズ旅行の人気も重なり、平成31（2019）年のクルーズ客は約5万人、10万トンを超える大型客船が5回入港し、そのうちマジェスティックプリンセスは最多4,122人を乗せて寄港しています。

上左／「客船飛鳥Ⅱ」（写真：清水港客船誘致委員会）　上右／「ダイヤモンド・プリンセス」（写真：清水区役所）　下左／「マジェスティック・プリンセス」（写真：清水港客船誘致委員会）

左／清水湊の碑　右／歌川広重『東海道五十三次』

清水港は、三保半島が防波堤のように港を守っているため、波がとても穏やかで美しく、神戸港・長崎港と共に「日本三大美港」の一つに数えられています。高速道路のインターチェンジや国道が港から近いため、静岡県だけでなく、近隣の県にとっても利用しやすい海の玄関口となっています。

現在の清水港はお茶の輸出を目的の1つとして明治32（1899）年に開港、令和元（2019）年で開港120周年を迎えている。

清水マリンターミナル

静岡市清水区日の出町10-80
バス…JR清水駅から静鉄バス三保山の手線「波止場フェルケール博物館」下車、徒歩3分
車……東名「清水IC」から約10分

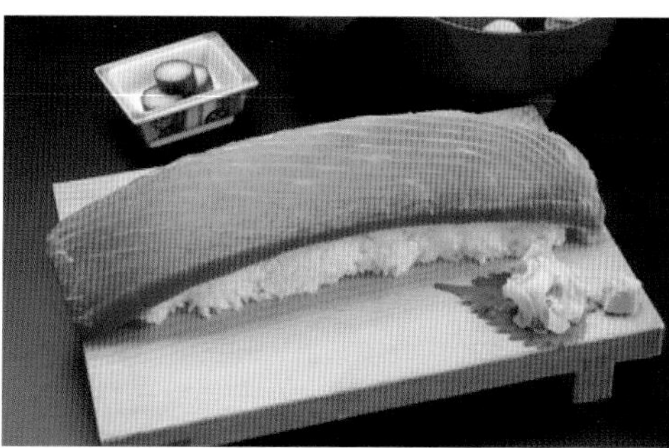

左／海と日本PROJECTホームページ　右上／河岸の市　大間新栄丸
右下／河岸の市　清水港海山

■河岸の市

河岸の市は、港の仲卸業者が新鮮な魚を直接販売する魚市場です。年間100万人以上が訪れ、県内外からの観光客の目当ては、水揚げ量日本一を誇るマグロ、興津のシラス、由比漁港の桜えびなど新鮮な海産物となっています。
“いちば館”は、プロの目で選んだ新鮮な魚介類や海産物のお土産が並び、“まぐろ館”では海の幸を堪能できる食事処が並んでいます。

河岸の市

静岡市清水区島崎町149番地
バス…JR清水駅から静鉄バス三保山の手線「波止場フェルケール博物館」下車、徒歩3分
車……東名「清水IC」から約10分。駐車場200台

■清水マリンパーク

清水マリンパークは、西欧の城壁風の回廊に囲まれたイベント広場、商業施設エスパルスドリームプラザ、登録有形文化財であるテルファークレーン、ボードウォーク（ウッドデッキ）、ヨットハーバーなどが揃った海辺の公園です。

富士山を望むイベント広場では、毎年、2015年から行われている野外フェスティバル「マグロック」、カンヌ国際映画祭に併せて野外上映される「シズオカ×カンヌウィーク」、観葉植物やハーブ、多肉植物などの販売が行われる「清水港フラワーフェスタ」、JAしみずの農業イベント「アグリフェスタしみず」といった野外イベントのほかフリーマーケットなどが開催されています。

ボードウォーク（ウッドデッキ）を散策すれば心地よい潮風を感じることもできます。

清水マリンパーク

静岡市清水区入船町13-15
バス…JR清水駅から静鉄バス三保山の手線「波止場フェルケール博物館」下車、徒歩5分
車……東名「清水IC」から約15分

テルファークレーン

昭和3（1928）年に、国鉄清水港線清水港駅で木材を貨物に積み込む荷役機械として作られたクレーンです。当時、神戸と名古屋にしかない最新式のクレーンで、従前ベルトコンベアーで1日かけて1貨物車に積み込んでいたものが、わずか48分で済むようになりました。その後、時代とともに用途もなくなり昭和46（1971）年に使用停止となっていますが、清水港の発展の遺産として保存され、国登録有形文化財に登録されています。

■エスパルスドリームプラザ

清水のランドマークといえばエスパルスドリームプラザです。ショッピング、グルメ、映画、イベントなど様々なジャンルのお店があり、大人から子供まで楽しめる商業施設となっています。

エスパルスドリームプラザの1階には、静岡県下のお土産がつまった「駿河みやげ横丁」、地元で生産している野菜や缶詰など地場産品販売の「駿河みのり市場」、8店のすし屋が並ぶ「清水すし横丁」が軒を連ねています。

2階にはすしの歴史や文化を学ぶ「清水すしミュージアム」、清水サッカーショップを始めとしたファッション雑貨やフードコート、3階にはちびまる子ちゃんランドやフットサルコート、4階には映画館があります。

屋外には、地上高52m、1周約13分の観覧車「ドリームスカイ」があり、令和元（2019）年には日本夜景遺産に認定されています。

週末に家族で、また、平日にカップルで、ゆっくり楽しめるにぎわいのスポットとなっています。

上／1F　清水すし横丁　下左／1F　まぐろ・かつおの缶詰市場　下中／1F　駿河みのり市場
下右／2F　清水サッカーショップ

エスパルスドリームプラザ

静岡市清水区入船町13-15
バス…JR清水駅から静鉄バス三保山の手線「波止場フェルケール博物館」下車、徒歩5分
車……東名「清水IC」から約15分。JR清水駅から無料シャトルバスあり

三保の松原

清水の景勝地として、平成25（2013）年に世界文化遺産（富士山の構成資産）に登録された三保の松原があります。

約5kmの海岸に約3万本の松が生い茂り、松林の緑、打ち寄せる白波、海の青さと富士山が織りなす風景は日本三大松原（三保の松原、虹の松原、気比の松原）の一つとされ、国の名勝に指定されています。

三保半島は富士山に向かって真っすぐ伸び、まるで富士へと繋がる松の架け橋、富士を眺めるために海に浮かべた浮舞台のようにみえます。その景観は、日本最古の歌集『万葉集』で三保松原を詠む和歌があったり、平安時代には白砂青松と富士山の眺望で全国にその名が知られるなど、多くの芸術家が富士山と三保を表現した文学や絵画を残しています。

また、三保の松原の一角には、天女伝説で知られる羽衣の松（樹齢650年のクロマツ）があります。地上に舞い降りた天女が浜辺の松にかけ忘れた羽衣を漁夫に拾われ、それを返してもらうために天人の舞を舞うという「羽衣伝説」。そのときの羽衣の切れ端といわれるものが、近くの御穂神社に保存されています。

パワースポットとしても人気の「御穂神社」や常世神の通り道である「神の道」も付近にあり、ここを歩けば清々しい気持ちになることでしょう。

平成31（2019）年には、静岡市三保松原文化創造センター『みほしるべ』もオープン。富士山と三保松原、羽衣伝説、三保松原と芸術作品などの深い関わりについて様々な展示がされています。

約5kmの海岸に生い茂る松、打ち寄せる白波、富士山は絶景。平成25（2013）年に富士山世界文化遺産に登録されている。

富士山と松原と打ち寄せる白波（写真：静岡県観光協会）

上／約3万本の松が広がる松原（写真：静岡県観光協会）　右下／羽衣橋の天女像
左上／松原と御穂神社へつなぐ神の道　左下／羽衣の松

三保の松原を詠む和歌

夕日影入海すずし沖つ風松にこたふる三保の浦波
読人不知

蘆原の清見の崎の三保の浦のゆたけき見つつものもひもなし
田口益人

きよみ潟ふじの煙や消えぬらん月影みがく三保の浦波
後鳥羽院

諸人のたち帰りつつみるとてや関に向へる三保の松原
豊臣秀吉

松原の色あくまでも清して海に愁ひの留る夕ぐれ
与謝野晶子

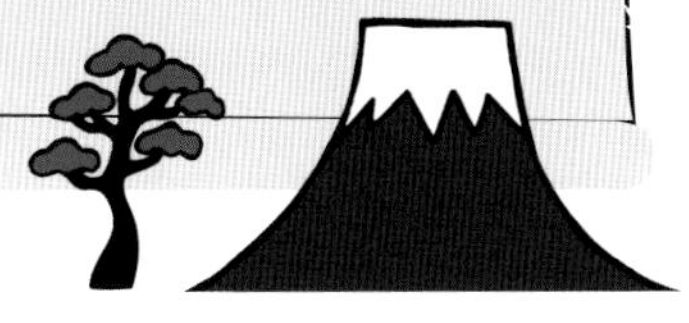

歌川広重「三保の松原」

三保の松原、みほしるべ

静岡市清水区三保1338-45
バス… JR清水駅から静鉄バス三保山の手線「三保松原入口」下車、徒歩約20分
車…… 東名「清水IC」から約25分、東名「日本平久能山スマートIC」から約25分。駐車場173台

日本平からの夜景（写真：静岡県観光協会）

日本平

清水区と駿河区にまたがる日本平は、静岡を代表する景勝地です。

標高307mの有度山の山頂を中心とした丘陵地で、富士山や伊豆半島が駿河湾越しに見え、北には南アルプスも望めます。眼下には清水区の街並みと清水港、三保の松原が広がり、夜景のスポットにもなっています。

そのパノラマビューは、全国的にも評価が高く、昭和25（1950）年に観光地百選（毎日新聞社）において平原の部第1位となり、昭和62（1987）年に新日本観光地100選（読売新聞社）、昭和34（1959）年に国の名勝にも指定されています。昭和55（1980）年の日本観光地百選コンクール（週刊読売主催）でも第1位となり、平成28（2016）年には、日本夜景遺産（一般社団法人夜景観光コンベンション・ビューロー）に認定されています。

山頂付近には日本平ホテルがあり、毎年7月に約2万坪の敷地を開放して繰り広げられる日本平まつり、夜景をバックにほぼ真上に広がる花火大会が開催されています。平成19（2007）年に木村拓哉主演のドラマ「華麗なる一族」のロケ地としても話題となりました。

日本平の清水区側には清水エスパルスの本拠地であるサッカースタジアムがあり、駿河区側には日本平動物園があります。ロープウェイで久能山に渡れば、平成22（2010）年に国宝に指定された徳川家康公ゆかりの久能山東照宮があり歴史ロマンに浸ることができます。

平成30（2018）年、富士山をはじめ三保松原、駿河湾、静岡市街地など360度の眺望が楽しめる展望施設『日本平夢テラス』が新たにオープンしています。

日本平夢テラス

静岡市清水区草薙600-1
バス… JR東静岡駅から静鉄バス日本平線「日本平夢テラス」下車、徒歩5分
車…… 東名「清水IC」から約30分

（写真：kazu8/PIXTA）

日本平夢テラスでは360度のパノラマビュー

日本平という名称の由来は、古墳時代（300～700年頃）に遡ります。大和国の日本武尊（やまとたけるのみこと）は、父である景行天皇より東国の平定を命じられます。日本書記によれば、日本武尊は、駿河国の草原で敵襲を受け、四方から火を付けられてしまいます。敵の放った野火に囲まれ、窮地に陥った日本武尊は、剣で草を薙ぎ払い、窮地を脱出します（それが草薙の剣であり、清水区草薙の名の由来となっています）。草薙の原で敵を平定した後、山の頂上に登り、勝どきをあげたという伝説に基づいて、日本平と名付けられています。

左／日本平山頂の石碑　右／日本武尊像

■童謡「赤い靴」

「赤い靴はいてた女の子　異人さんにつれられて　行っちゃった」

誰もが一度は耳にしたことのある歌詞ではないでしょうか。

横浜の山下公園にその銅像があることから、横浜港で外国人に連れられて海外へ行ってしまったということをイメージされている方も多いと思います。

この物語、実は清水で生まれた少女がモデルとされています。

明治35（1902）年、未婚の母かよは、“赤い靴の女の子”きみを清水の宮加三で生みます。その後、母子は開拓団として北海道へ渡ります。ところが開拓生活は想像を絶する厳しいものであり、また、母の再婚の話もあったため、3歳だった少女はアメリカ人宣教師夫妻に養女として託されます。

その後、宣教師がアメリカへ帰る際、きみは結核におかされ、日本に止まることを余儀なくされます。麻布十番の孤児院へ預けられ、明治44（1911）年9月15日、結核性腹膜炎で9歳という若さで亡くなってしまいます。

一方そのことを知らないまま、母かよは札幌で新たな生活を始めます。母かよが札幌で出会った野口（童謡の作詞者）は、かよのきみへの思いを聞き、これを詩に綴ります。童謡『赤い靴』です。童謡では、横浜から船に乗り、外国へと旅立ったことになっています。きっとそうなったのだと信じていたのでしょう。

そして、昭和23（1948）年、かよも「きみちゃん、ごめんね」の言葉を残して生涯を閉じています。

ストーリーには諸説がありますが、なんとも切ない物語です。こうした背景もあって、生き別れになってしまった母かよときみを80年ぶりに故郷の清水で里帰り再会させようと、昭和61（1986）年に日本平の山頂に母子の像が建立されました。

赤い靴　はいてた女の子
異人さんに　つれられて行っちゃった
横浜の　埠頭から船に乗って
異人さんに　つれられて行っちゃった
今では　青い目になっちゃって
異人さんのお国にいるんだろ
赤い靴　見るたびに考える
異人さんに逢うたびに考える

麻布十番や横浜、函館などに少女単独の像があるが、清水は母子像となっている。

富士山

富士山は、日本で一番標高の高い山であり、言わずと知れた日本の象徴として国内外に広く知られています。

富士山の標高は3,776mで日本最高峰、日本の山々の中で、群を抜いた高さを誇り、いずれの方向から眺めても円錐形の均整のとれた姿は美しく、四季折々に人々の目を楽しませてくれます。

富士山の山体は、静岡県(富士宮市、裾野市、富士市、御殿場市、駿東郡小山町)と、山梨県(富士吉田市、南都留郡鳴沢村)にまたがり、駿河湾の海岸まで及んでいます。清水が誇る……と固有のものではありませんが、清水の街のどこからもその優美な風貌を眺めることができ、清水港と富士山、三保の松原と富士山、といったように清水の景観と必ずセットで登場するものですので、ここで紹介しておきます。

富士山は、昭和11(1936)年に富士箱根伊豆国立公園、昭和27(1952)年に特別名勝、平成23(2011)年に史跡、さらに平成25(2013)年にはユネスコの「富士山－信仰の対象と芸術の源泉」として世界文化遺産に登録されています。

日本三名山(三霊山)、日本百名山、日本の地質百選にも選定されています。

富士山の起源は、今から約40万年前に先小御岳火山が形成されたものと言われています。その後、小御岳山、古富士山、新富士山が折り重なって、約5600年〜3500年前にほぼ現在の形姿が形成されました。日本一の高さ、末広がりの美しい姿は、富士山が過去に何度も噴火し、溶岩などの火山噴出物が何重にも重なってできたものなのです。

活火山としての富士山の噴火は、天応元(781)年以後17回記録されています。噴火は平安時代に多く、延暦19(800)年から永保3(1083)年までの間に12回の噴火記録があります。また噴火の合間には平穏な期間が数百年続くこともあり、例えば永保3(1083)年から永正8(1511)年までは400年以上も噴火の記録がありません。

春の富士山
桜の名所で知られる船越堤公園は市民憩いの公園です。春には約800本の満開の桜が公園中を埋め尽くし、富士山（青）と桜（ピンク）が綺麗に映える人気のスポットです。

夏の富士山
例年5月下旬から6月になると山頂の気温は0℃以上となる日が多くなり、山肌の雪解けが進みます。三保沖では夏の富士山を望みながらウィンドサーフィンやヨットなどマリンスポーツが楽しまれています。（写真：静岡県観光協会）

秋の富士山
薩埵峠は駿河湾に突き出した山裾にある峠です。歌川広重の東海道五十三次にも描かれており、秋には駿河湾、富士山の青と紅葉のコントラストが美しく映えます。（写真：静岡県観光協会）

冬の富士山
富士山の山頂は、冬にかけ例年9月から10月頃より薄っすらと雪化粧が始まります。やはり富士山は雪化粧をした壮大な姿がよく似合います。（写真：静岡県観光協会）

江戸時代の宝永4（1707）年には、宝永の大噴火が起こりました。この噴火は、宝永地震という日本最大級の地震の49日後に始まり、江戸の町まで大量の火山灰を降下させたそうです。

その後、大規模な火山活動はありませんが、明治、大正、昭和中期にかけて噴気活動を記録しています。この活動は嘉永7（1854）年の安政東海地震をきっかけに始まったと言われており、活動は昭和に入って低下し始め、1960年代には活動は終息し、現在は平穏な状態が続いています。

歌川広重『東海道五十三次』

葛飾北斎『富嶽三十六景』

富士山の雄大で美しい姿は、最古の歌集『万葉集』をはじめ、『竹取物語』や『伊勢物語』などにも取り上げられたほか、江戸時代には浮世絵師の葛飾北斎『富嶽三十六景』や歌川広重『東海道五十三次』によって描かれています。

葛飾北斎『富嶽三十六景』

We Love Shimizu We Love Football

富士山清水みなとクルーズ

静岡市清水区日の出町10-80
バス…JR清水駅から静鉄バス三保山の手線「波止場フェルケール博物館」下車、徒歩5分
車……東名「清水IC」から約15分

（写真：静岡県観光協会）

日本人なら人生で一度は富士登山に挑戦したいと
毎年約30万人の登山客が訪れている。

清水次郎長

梅蔭禅寺には次郎長の銅像
（写真：静岡県観光協会）

清水を象徴する歴史上の人物といえば、清水次郎長（文政3（1820）年～明治26（1893）年）です。次郎長は、幕末から明治にかけて活躍した侠客です（侠客とは弱きを助け、強きを挫くことを信条にして任侠に生きる男をいいます）。

本名は山本長五郎といい、商家である高木三右衛門の次男として生まれました。母親の弟・山本次郎八の養子に出され、次郎八のところの長五郎ということで「次郎長」と呼ばれるようになりました。米商から博徒となり、森の石松や大政、小政など清水28人衆と呼ばれる子分達に従え、東海一の大親分となります。

そんな次郎長は、慶応4（1868）年、倒幕のために東上した新政府軍から街道の警固役に任じられます。清水港に寄港した敵方幕府軍の艦隊・咸臨丸（かんりんまる）の乗組員が新政府軍によって全員討たれ、新政府軍は幕兵の遺体の埋葬を許しませんでしたが、次郎長は「死んだら仏だ。官軍も賊軍もない」とこれを手厚く埋葬したというエピソードがあります。維新後、次郎長は実業家として活躍し、清水港の改修工事、富士山麓の開墾事業、私塾における英語教育に尽力しました。明治26（1893）年に風邪をこじらせ74歳で死去しています。

静清合併後、市のイメージキャラクターとしては（旧静岡市の）徳川家康、今川義元に押され気味の次郎長ですが、清水を国際港まで押し上げた立役者と

して地元で愛され続けています。清水みなと祭りでは市民が次郎長たちに扮して踊る“次郎長道中”が毎年恒例となっており、平成30（2018）年には道具や資料が展示されている生家が国登録有形文化財となるなど観光名所の一つとなっています。

何よりも、“清水港の名物はお茶の香りと男伊達”（これは昭和46（1971）年から昭和47（1972）年に放送されたフジテレビ『清水次郎長』の主題歌の歌詞）と評されるように、清水の男たちは、誰もが次郎長親分のような熱い思いを持ち続けています。

次郎長は多くの子分を従え海道一の大親分として、清水港の改修工事、富士山麓の開墾事業、私塾における英語教育に尽力した。

国登録有形文化財「次郎長の生家」（写真:静岡県観光協会）

■次郎長生家

次郎長生家は、次郎長が生まれた家で、井戸や居間なども当時のままに保存され、中庭を通じて表と裏をつなぐ建築は町屋建築の特徴をよく残しています。

美濃輪町の通り（現在の次郎長通り）に面し、清水港の歴史を物語る位置に存在します。現在は、次郎長や大政、小政の写真、次郎長が使った道具類、資料などが展示され、平成30年には国の登録有形文化財に登録されています。

次郎長にちなんだお土産物も多数、願い事が何でも叶うという「勝札」が人気となっています。

（写真:清水区役所）

■船宿　末廣

1人で写された唯一の写真

港町には、清水次郎長が明治19(1886)年に開業した船宿「末廣」があります。当時の柱や梁を活かして平成13(2001)年に復元されました。当施設は、次郎長の晩年の姿や当時の資料を現在に伝え、観光情報発信施設として活用される記念館となっています。

次郎長生家

静岡市清水区美濃輪町4-16
バス… JR清水駅から静鉄バス三保山の手線「港橋」下車、徒歩5分
車…… 東名「清水IC」から約15分。駐車場4台

梅蔭禅寺(次郎長の墓)

静岡市清水区南岡町3-8
バス… JR清水駅から静鉄バス山原梅蔭寺線「梅蔭寺」下車
車…… 東名「清水IC」から約15分。駐車場20台

清水港船宿記念館　末廣

静岡市清水区港町1-2-14
バス… JR清水駅から静鉄バス三保山の手線「港橋」下車、徒歩5分
車…… 東名「清水IC」から約15分。駐車場2台

次郎長の愛した清水港

巴川岸にかかる港橋

ちびまる子ちゃん

今や日本で知らない人はいないであろうといわれているのが国民的アニメの『ちびまる子ちゃん』です。

この作品は、清水市で生まれた作者の子ども時代（1970年代）の思い出をモチーフに、主人公の小学3年生の女の子（さくらももこ）とその家族、クラスメートや町の人々が繰り広げる日常生活を描いたコメディ漫画です。「ちびまる子」は、作者さくらももこのニックネームで、ちびだから“ちび丸”、そして女の子なので子をつけて“ちびまる子ちゃん”と呼ばれています。

原作は、昭和61（1986）年から平成8（1996）年に雑誌『りぼん』（集英社）に連載された『ちびまる子ちゃん』です。

コミック（全17巻）や文庫版（全9巻）など、累計発行部数は3000万部以上となり、『りぼん』のコミックスの中では単行本最高発行部数を記録しています。

テレビでは日曜日の午後6時から放送されており、令和2（2020）年で30周年を迎えています。核家族化が進む中、古き良き昭和の三世代の家族像がサザエさんと並んで日曜日の夕方の代名詞となっています。

左／ちびまるこちゃんマンホール（写真：清水区役所）　右／さくらももこさんの似顔絵

エスパルスドリームプラザには平成11(1999)年にオープンした「ちびまる子ちゃんランド」があります。こちらは常設展示館で、漫画の世界が細かくリアルに再現されています。まる子の家や学校のほか、駄菓子屋やオリジナルグッズを販売しているショップなどもあり、ファミリーでの遊び場所に最適です。

同館には年間10万人以上が訪れていますが、近年では「ちびまる子ちゃん」が海外でも人気を集めている影響で、中国や台湾といった外国人観光客が増えています。外国人観光客の来館者数は、平成26(2014)年は1万6500人だったのに対し、平成27(2015)年には3万5000人と飛躍的に伸びています。

アニメを通じた町おこしは、国内外に絶大なPR効果を発揮します。ゲゲゲの鬼太郎の島根県境港市(水木しげるロード)、名探偵コナンの鳥取県大栄町(コナンの里)、ルパン三世の北海道浜中町(ルパン三世通り)、こちら葛飾区亀有公園前派出所の葛飾区、クレヨンしんちゃんの春日部市などが代表的です。ちびまる子ちゃんも清水市のままであれば、これらの作品以上にその存在感を際立せていたことでしょう。

 ちびまる子ちゃんランド
(エスパルスドリームプラザ)

静岡市清水区入船町13-15
バス… JR清水駅から静鉄バス三保山の手線「波止場フェルケール博物館」下車、徒歩5分
車…… 東名「清水IC」から約15分

ちびまる子ちゃんと同じ小学校に、長谷川健太(清水)、西澤明訓(C大阪)、鈴木啓太(浦和)、山本海人(清水)、立田悠悟(清水)がいる。

清水駅　まるちゃんの生まれた町、清水　ようこそ

清水駅はさくらももこさんとパルちゃんがシンボル

清水のまつり

「港かっぽれ」や「清水おどり」「次郎長おどり」などの地踊りは清水の伝統になっている。

■清水みなと祭り

清水みなと祭りは、戦後の復興と町おこしのために昭和22(1947)年に始まりました。清水港の開港記念日が8月4日であることにあわせて、毎年8月に開催され、夏の風物詩となっています。今では、市民の将来への希望を込め、令和元年(2019年)で72回目を数えています。

なかでも総踊りは、JR清水駅前から港橋までのさつき通り(往復4.2km)を歩行者天国にして、毎年約2万人の老若男女による「港かっぽれ」や「清水おどり」「次郎長おどり」などの地踊りが繰り広げられます。

総踊りにあわせて、日の出ふ頭を中心として海のイベントや海上花火大会も行われ、毎年70万人を超える人出で賑わう静岡市最大級の夏の行事となっています。

(写真:清水みなと祭り実行委員会)

七夕の仕掛け花飾り

■清水七夕祭り

清水七夕まつりは、昭和28（1953）年に清水市内の商店街を中心に、こちらも戦後の復興と商業の発展を目指して開催されたのがはじまりです。過去、昭和49（1974）年の"七夕豪雨"で一度中止があったものの、令和元（2019）年で67回を数えています。竹と紙を使用するという伝統を守り続け、親近感や温かみを感じられる竹飾りが特徴です。

昭和30年代からの高度成長期、「清水銀座商店街」「清水駅前銀座商店街」を中心に盛大に開催されるようになり、その頃から、くす玉飾り（丸い玉に吹き流しが付いたもの）中心の飾りから、時代風俗や流行を模した「仕掛け花飾り」が多くを占めるようになり隆盛を極めました。

昭和から平成に時代が移るにつれて、人口の減少、百貨店や大規模小売店舗の台頭、インターネットの普及、生活スタイルの変化などにより、全国的に商店街は苦戦を強いられ、駅前銀座商店街や清水銀座商店街を基軸とする清水七夕祭りも昔の勢いを失いつつあることは否定できません。そのような中でも、なお通り沿いには商店や企業をはじめ、幼稚園、小学校、市民団体などから出品された色とりどりの七夕飾りが飾りつけられ、毎年約50～60万人の来場者で賑わっています。

近年は、ちびまる子ちゃんや徳川家康、パルちゃんなど時代や流行を模した花飾りが人気。

海上花火大会（写真：GinjiFukasawa / PIXTA）

東海大学海洋科学博物館

三保には日本で唯一の「海洋学部」をもつ東海大学があり、現在、静岡市と東海大学、海洋研究開発機構（JAMSTEC）が連携しながら最先端の海洋研究拠点をめざす動きが始まっています。

同学部に付属された東海大学海洋科学博物館は、昭和45（1970）年に「海の博物館」としてオープンし、親しみやすく遊び心ある展示で、海洋科学の楽しさを子供達に伝えています。

1階水族館でひと際目を引くのが日本最大級の全面ガラス張りの海洋水槽です（①）。水槽内では、体長2mを超えるサメ（シロワニ）が悠然と泳ぐ姿をはじめ、約50種1,000個体以上の魚たちを見ることができます（②）。

先に進むと、窓のように並んだ水槽には、沖合のマイワシの群れ、沿岸の深場にすむサクラダイ、水深1,000m付近に住む深海生物などが展示されています（③）。

⑥

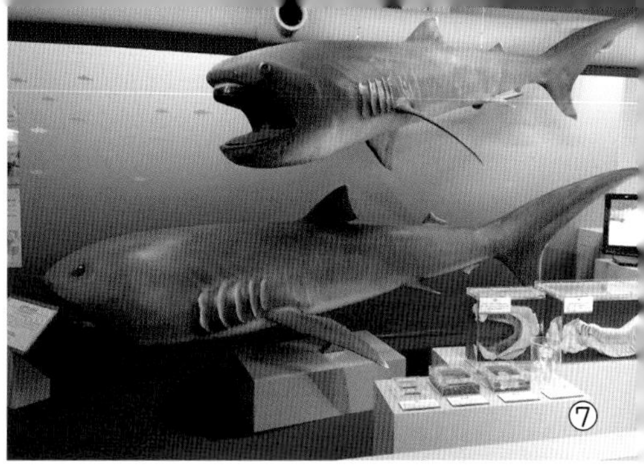
⑦

順路にしたがって、浅い海の生きものから深い海の生きものへと生息水深が深くなっていきます。深海生物のコーナーでは、日本一の水深の駿河湾から採集された約160種類の深海生物の標本展示があります（④）。水深200mを超える海を深海といいますが、ここでは最大水深約2,500mにもなる駿河湾から収集された多様な深海生物をみることができます。

また、当館では、日本のクマノミ6種を始めとして世界中のクマノミ約20種が展示され、昭和52（1977）年には世界で初めてカクレクマノミの繁殖に成功しています（⑤）。

2階は科学博物館となっており、実際に海の中の音を聞いてみたり、実験装置を動かしたり、楽しみながら海の不思議を学ぶことができます。

標本コーナーでは生物の骨のつくりから、体の特徴、口のつくりなどの細かい部分まで観察することが可能で、なかでも全長約18.6mの巨大なピグミーシロナガスクジラの全身骨格標本は圧巻です（⑥）。

そのほか稀少な深海ザメであるメガマウスザメの剥製標本を、雌雄で見ることができるのは当館だけとなっています（⑦）。

東海大学海洋科学博物館

静岡市清水区三保2389

バス … JR清水駅から静鉄バス三保山の手線「東海大学三保水族館」下車、徒歩1分

車 …… 東名「清水IC」から約30分、東名「日本平久能山スマートIC」から約30分

海洋文化都市しみず

今、清水の海洋文化拠点としての機能が注目されています。

四方を海に囲まれる海洋国家日本にとっては、今後も増々、海洋研究や海洋産業の発展と国際展開を図ることが重要な課題とされています。

そこで、古くから港町として栄え、また、海洋研究にかかわる大学や研究機関が集積している清水に注目が集まったというわけです。国内外から人々が訪れる「国際海洋文化都市」を実現していくことが期待されています(現在は構想の段階です)。

では、海洋文化都市になるとどのようなメリットがあるのでしょうか。

海洋文化都市構想としては、これまでの海洋産業(造船、物流、水産加工など)に加え、新たに観光サービス産業や海洋研究に力を入れ、にぎわいを創出していこうというものです。

キーワードは、海洋を軸とした「産業」「研究」「観光」です。

現在、日の出地区を中心に、水族館と海洋地球展示を行う博物館が融合された海洋文化拠点施設「(仮)海洋・地球総合ミュージアム」の建設が構想されています。それにより(イ)国際海洋文化都市としてのブランド化、(ロ)国際的な集客と賑わい創出、(ハ)海洋文化を拓く研究・教育促進、(ニ)海洋産業の振興と経済波及が見込まれています。

清水には、東海大学海洋学部、海洋研究開発機構(JAMSTEC)、国際水産資源研究所、国立清水海上技術短期大学校もあり、国際会議や学会、研究会の誘致も可能となるでしょう。

海洋学は、海洋化学から海洋生物、地質、気象、地球環境など海にまつわる様々な分野です。富士山(標高3,776m)から駿河湾(水深2,500m)の深海までに形成される高低差6,000mを超える独特の地形は、海洋に関する様々な分野の研究フィールドとして興味深いものがあります。

最先端の情報収集と研究が進めば、既存産業の発展や新規産業の創出にもつながります。

そして、清水港は、JR清水駅に近く新幹線や空港へ、また、東名高速道路、新東名高速道路、中部横断自動車道、国道1号へのアクセスが可能です。清水を産業の拠点とすることで、日本海側や北関東をはじめ日本全国へ物流の道が開けます。

また、観光面では、数百人から数千人の旅客によるクルーズ船の誘致に力が入ります。港町にとっては地域経済を活性化させるだけでなく、旅行者の満足度が高まれば、その地域の知名度を向上させ、その地域への旅行者のリピーターを獲得する重要な機会となります。

これはクルーズ船の旅客に限らず、国内の旅行者に対してのPRも同じことがいえます。富士山、日本平、三保の松原、海産物といった観光資源に加え、ミュージアムでの学びなど海洋文化都市としての魅力が打ち出せれば観光誘致に大きなプラスに作用することが期待されます。

海洋に関する企業や工場、研究施設が増えれば雇用の創出も見込まれ、就業や就学を通じて定住人口の増加にもつながります。海洋への関心・親しみが高い市民、海洋にかかわる仕事や学びをしている市民も増えていくことでしょう。

このように、清水は、流通、製造、商業、観光、学術研究が盛んに交易され、産・官・学の海洋都市になるポテンシャルを持っています。

大学や研究機関が集積している清水には、国内外から人々が訪れる「国際海洋文化都市」を実現していくことが期待されている。

海洋産業

- 物流、造船、漁業、缶詰などの水産加工業の発展
- マグロやシラスなどの海産物
- 地域産業の活性化

海洋文化
都市構想

にぎわいの創出

海洋観光

- 都市の魅力による集客
- 大型クルーズ船の誘致
- 富士山、日本平、三保の松原と連携したPR
- 地元商店の活性化

海洋研究

- 海洋文化施設の新設
- 駿河湾を題材とした学びの場
- 国際会議、学会を誘致
- 新規産業の創出

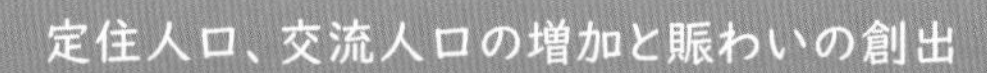

定住人口、交流人口の増加と賑わいの創出

既存産業、新産業における雇用の創出

税収の増加による行政サービスの向上

などが期待される。

清水のこれから

清水は、富士山を望み、清水港の発展とともに賑わい、また、東海道の宿場町として栄えてきた港街です。港から世界へとつながり、多くの海産物が獲れ、日常の中にあるすばらしい景観は、私にとっても誇りとなる故郷です。

また、清水みなと祭りや清水七夕祭りといった伝統は、市民が一体となって活気を創出し、毎年夏の夜になると、街中の公園から聞こえる（踊り練習の）太鼓の音は心躍るものがあります。

今後の展望として興味深いのはやはり清水港の活用です。客船が寄港することになると、何千人という乗船客が港に寄ります。清水港は、富士山に一番近い港という特色を活かし、ますます歓迎事業や観光に力を入れることが求められます。海洋文化都市構想においては、水族館や博物館の展示施設に人が訪れ、周辺に企業や商店ができれば人の働き場ができ、研究施設や研究大会に人が学びに訪れることが期待されます。

これまでの清水は港湾工業都市として発展してきましたが、新たに観光サービス産業や海洋新産業を育てながら、国内外から人が来るようになれば、賑わいが創出され“住んでよし、訪れてよし”の街となることでしょう。そのためにも、あらためて“清水”を見直し、市民が“清水”の良さを再構築する時期にあるのではないでしょうか。

合併から15年

ここで、静岡・清水の現状について私見を述べておきます。

清水市と静岡市の合併の背景には、国が全国的に市町村合併を推し進めた平成の大合併（平成11（1999）年～平成22（2010）年）があります。国は合併する市町村に対して手厚い財政支援を行ったこともあり、平成11（1999）年に3,232あった全国の自治体は半数程度に再編されました。

行政の効率化や地方財政の面で合併のメリットも多くあると思いますが、平成の大合併の経験から以下のような課題が指摘されています。

- 合併を選択した方が、合併を選択しなかった町よりも人口が減り、高齢化が進んだ。
- 効率化のため役所や教育施設が中心部に集約されていき、合併された地域は単なる周辺部となってしまい活力が低下した。
- 合併に伴い、旧市町村の伝統・文化・歴史的な地名などが失われた。
- 行政上の論理で押し進めた結果、住民感情に不満やしこりが残った。

清水もまた、合併の影響があってかなくてか、近年、人口の減少と中心市街地の衰退の問題に直面しています。市外からの観光客やインバウンド（訪日外国人）といった交流人口を増やすとともに、住む人口（定住人口）を増やすためにPRをして行かなければなりません。

清水は工業を中心に発展し、PR資源には清水港、三保の松原、次郎長、サッカー、ちびまる子ちゃん、清水みなと祭りなどがあります。旧静岡は商業を中心に発展し、PR資源にはお茶、家康、ホビー（プラモデル）、伝統工芸、大道芸、久能山東照宮、オクシズ（中山間地域）、静岡まつりなどがあります。

清水と静岡は、これまでの歴史や文化も全く異なる都市が一つとなっています。もともとそれぞれ地域で育み、誇りとしてきたものですので、旧静岡のものを旧清水へ、旧清水のものを旧静岡へ無理に浸透させようとすることで、かえって地域の個性を潰し、国内外へのPRが中途半端となってしまっているというのが現状です。

例えば、静岡市の代表シンボルとしてちびまる子ちゃんを器用していますが、旧静岡からはなぜちびまる子ちゃんなんだという意見もあり、旧清水及び県外からはちびまる子ちゃんは「清水」のイメージが強いとの意見もあり、今一つ町をあげてのプロモーションとなっていないといえます。

最近では“サッカーのまち清水”のキャッチフレーズも目にする機会がほとんどなくなってしまいました。“サッカーのまち清水”という魅力があってはじめてプロサッカーチームも活きてきますし、清水の地でサッカーがしたいと各年代の良い選手たちが集まってくる土壌ができてきます。

また、何といっても合併最大のデメリットは、“静岡”の名に隠れてしまい、“清水”の名が消えつつあることでしょう。「清水のために」という市民の熱い思いが薄れ、まちづくりに対する意欲が小さくなってしまいます。

清水は清水として、静岡は静岡として、互いの個性を磨きつつ、それぞれ魅力を発信し輝くことで静岡市全体が輝くことになると思っています。いずれは世代も変わり、静岡市全体で新たな文化が創造されてくると思いますが、今のままでは、清水は清水としてPRしなければ“単なる周辺部”となってしまうことが懸念されます。

第2部

サッカーのまち清水

サッカーのまちのはじまり

第2部では、“サッカーのまち清水”とよばれてきた由縁について紹介していきます。第1部の観光資源と併せて、これまで“清水ブランド”を築き上げてきたのがサッカーとの関わりです。

時代は昭和30年代まで遡ります。小学校の校庭でボールを蹴ってはいけないという時代、江尻小学校に赴任した堀田哲爾氏により、昭和31(1956)年に少年サッカーチームが結成されました(江尻小サッカークラブは、昭和39(1964)年に日本初のサッカースポーツ少年団として登録されています)。

これを皮切りに、清水市内には庵原小、入江小、和田島小など小学生チームが次々と誕生することになります。

当時、学校のグラウンドにはナイター設備がなく、放課後暗くなると、父母

清水駅前のモニュメント

の車のライトを照らして練習をすることもありました。その後、市内のほぼ全ての小学校にナイター設備が設置され、夕方遅くまでサッカーの練習をしている子供たちの姿が日常となっていきます。

少年サッカーが盛んになり始めた昭和40年代、指導者もほとんどが素人で、本やテレビで勉強したり、子供たちとボールを蹴りながら練習方法を模索するような状況でした。そこで、昭和44（1969）年に指導者のためのコーチングスクールが始まり、組織的に指導者を育て上げていく環境が構築されていきます。

また、少年たちがサッカーをやっている姿をみて、「面白そうだ」とお父さん、お母さんもサッカーに魅了され、お父さんチーム（清水育成会サッカーリーグ昭和50（1975）年創立）、お母さんチーム（育成会婦人フラミンゴサッカーリーグ昭和51（1976）年創立）もできました。

今では、チャイルドから小、中、高、社会人リーグ（2019年で54回目を数えます）、60歳以上のシニアリーグ（同18回目）、さらには70歳以上のロイヤルリーグ（同12回目）まで各カテゴリーでリーグ戦が行われています。

このように“ゆりかごから息が続くまで”とサッカーが根付いた街が“サッカーのまち清水”です。商店街の八百屋や魚屋の大将にボールを渡せば、軽々とリフティングをする光景が目に浮かびます。

※静岡でのサッカーの始まりは、静岡師範（現在の静岡大学）にサッカー部が創設された大正8（1919）年とされています（そのため、令和元（2019）年は100周年を祝う「静岡サッカーの歩み百年祭」の年となりました）。その後、静岡県蹴球協会が誕生したり、昭和25（1950）年に県勢として初めて静岡城内高校（現在の静岡高校）が全国大会に出場するなど少しずつサッカーが普及し始めることとなります。

市内の広場ではいたるところでサッカーをやっている子供達、家にはサッカーボールがあり、小さいころから当たり前のようにその環境がある。居酒屋ではサッカー談議に盛り上がり、スタジアムでは3世代でユニフォームを着て応援している。

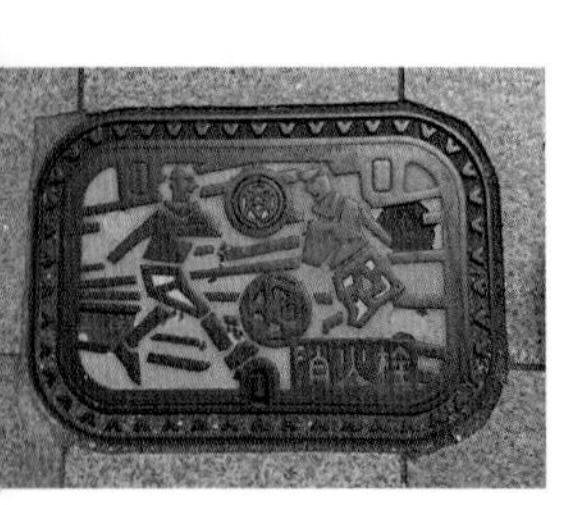

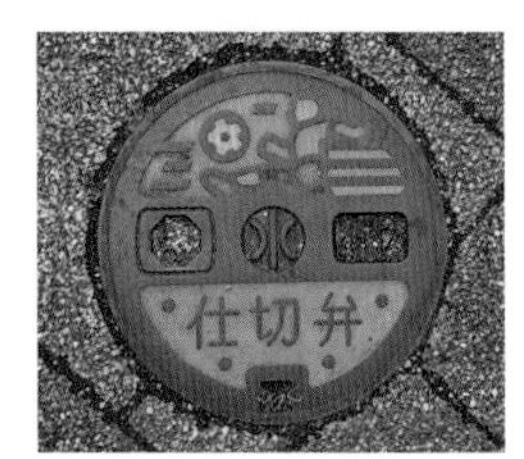

市民とサッカー

清水においてサッカーは、プロサッカー選手を目指す育成年代から、趣味としてサッカーを楽しむ社会人、シニア年代まで、様々なカテゴリで親しまれています。現在、清水では約150（2019年度現在、以下チーム数において同じ）のチームが活動し、毎年各カテゴリ別に以下の様な大会が開催されています。

1種（社会人）

1種では、清水エスパルスを始めとして静岡市役所清水サッカー部、清水銀行サッカー部、東海大学海洋学部サッカー部など25チームが加盟しています。毎年、県リーグや県スルガカップ大会、清水社会人リーグ、清水OBリーグなどの大会が行われています。

2種（高校年代）

2種では、清水エスパルスユースや各高校サッカー部の7チームが加盟しています。全国プレミアリーグや日本クラブユース選手権、高校サッカー選手権、高校総体などの全国大会をはじめ、県新人戦サッカー大会、クラブユース選手権、勝沢杯サッカー大会などの大会が行われています。全国少年少女草サッカー大会では審判を経験し、将来の審判の育成も行われています。

■2種の主な大会

高校	クラブ
・全国高等学校サッカー選手権 ・全国高等学校総合体育大会（インターハイ）	・日本クラブユースサッカー選手権 ・Jユースカップ

・高円宮杯JFA U-18サッカー選手権

<table>
<tr><td rowspan="2">プレミアリーグ</td><td>-</td><td colspan="2">ファイナル</td></tr>
<tr><td>1部</td><td>イースト</td><td>ウエスト</td></tr>
<tr><td>プリンスリーグ</td><td>2部</td><td colspan="2">全国9地域のリーグ戦</td></tr>
</table>

・高円宮杯全日本ユースU-18サッカー選手権（～2010年）

3種（中学年代）

3種では、清水エスパルスジュニアユースをはじめとするクラブチームと各中学校サッカー部の23チームが加盟しています。日本クラブユース選手権や全国中学校体育大会等の全国大会をはじめ、県中学校サッカー選手権大会、県新人戦サッカー大会、エスパルス杯争奪清水ジュニアユースサッカー大会、清水銀行杯などの各種大会が行われています。

■ 3種の主な大会

中学校	クラブ
・全国中学校体育大会（中体連）	・日本クラブユースサッカー選手権
・高円宮杯JFA全日本U-15サッカー選手権 ・JFA全日本U-15サッカー大会（～2018）	

4種（小学年代）

4種では、清水エスパルスU-12等のクラブチームと各少年団サッカー部の27チームが加盟しています。JFA全日本U-12サッカー選手権大会をはじめ、NTT西日本グループカップU-12サッカー大会、しずぎんカップU-11サッカー大会、しんきんカップU-10サッカー大会、全国少年少女草サッカー大会、清水小学生サッカーリーグ、清水銀行杯、小学生フットサル大会など様々な大会が行われています。

シニア

シニアでは、清水クラブOBや新星クラブを始めとして20チームが加盟しています。毎年、清水マリンフェアプレーリーグ（O-50）、清水スーパーシニアリーグ（O-60）、清水ロイヤルリーグ（O-70）、家康公杯清水スーパーシニアサッカー大会などの大会が行われています。

育成会(父親リーグ)

育成会では、辻育成会や江尻シニア、岡小サッカースポーツ少年団育成会など各少年団の育成会25チームが加盟しています。毎年1部、2部、3部の3カテゴリで清水育成会リーグを実施し、市民大会(O-30の部やO-40の部)なども行われています。

女子リーグ

女子では、小学生からママさんまで各カテゴリで活動しており、清水第八プレアデスや清水フットボールクラブ女子、各中学・高校女子サッカー部など16チームが加盟しています。中東部女子リーグ、全日本女子サッカー選手権、エスパルスカップ高校女子サッカー大会、清水銀行杯、育成会婦人フラミンゴリーグ、エスパルス杯、清水ママさんサッカー選手権大会など様々なカテゴリで大会が行われています。

このように多くの大会が開催されているのも清水ならでは。流行り廃りのない、強い弱いもない、サッカーを愛する町が"サッカーのまち清水"。

清水サッカー協会
創立40周年記念碑

清水サッカー協会は、「子供たちの為に、次世代の為に」を活動理念とし、清水地域におけるサッカーの普及および振興、「サッカーのまち清水」としてのまちづくり、人づくり、健康づくり、国際交流に寄与することを目的として、昭和30(1955)年に設立された団体。

清水FC（ジュニア）

サッカーのまち清水の歴史は、少年サッカーから始まります。

かつて、清水市内にある小学校チームの主力選手を集めた“清水FC”という選抜チームがありました。現在では、各小学校やクラブチームに所属する選手の選抜チームのため二重登録の関係で平成20（2008）年に活動休止となっています。

清水FCは、昭和44（1969）年に“オール清水”として創設され、昭和52（1977）年に登録名を“清水FC”に改めています。選抜された選手たちは、練習日になると放課後にそれぞれが所属する小学校チームで練習を行い、そのあとの時間に集まって清水FCとして練習を行いました。

当時の小学生達は、清水FCに選ばれることを目標として練習をがんばり、また、選ばれた選手は、自分が清水FCで学んだことをチームメイトに伝え、各チームの技術の向上を促す効果につながっていました。

清水FCでは、早くから海外遠征を行い、昭和49（1974）年に韓国遠征、昭和50（1975）年にヨーロッパ遠征、昭和53（1978）年にブラジル遠征を行うなど、世界の強豪たちと互角に渡り合える力を養ってきました。

そのような成果もあって、清水FCは全国でも圧倒的な強さを誇り、昭和52（1977）年に始まった全日本少年サッカー大会（現在のJFA全日本U-12サッカー選手権）では第1回大会から優勝8回、準優勝3回、昭和62（1987）年から始まった全国少年少女草サッカー大会でも優勝13回と好成績をおさめました。

昭和50（1975）年には全清水チャイルド、昭和48（1973）年には全清水中学、昭和49（1974）年には社会人の清水クラブができるなど、全国に先駆けてチャイルドから、小、

中、高校サッカー、社会人リーグと一本化した指導体制による育成組織が確立されることになります。

そのような指導体制の下で育成の成果が表れ、清水FCの出身者たちは、高校サッカー選手権で多くのタイトルを獲得し、Jリーガーとなって全国で活躍していくことになります。

◀強さの象徴百獣の王、中央が子供、その両端は親と指導者を表している。

●主な成績

昭和48（1973）年	第7回全国少年団大会	準優勝（オール清水）
昭和50（1975）年	第9回全国サッカー・スポーツ少年団大会	優勝（オール清水）
昭和51（1976）年	第10回全国サッカー・スポーツ少年団大会	優勝（オール清水）
昭和52（1977）年	第1回全日本少年サッカー大会	優勝
昭和53（1978）年	第2回全日本少年サッカー大会	優勝
昭和54（1979）年	第3回全日本少年サッカー大会	準優勝
昭和57（1982）年	第6回全日本少年サッカー大会	優勝
昭和58（1983）年	第7回全日本少年サッカー大会	優勝
昭和60（1985）年	第9回全日本少年サッカー大会	優勝
昭和61（1986）年	第10回全日本少年サッカー大会	優勝
昭和62（1987）年	第11回全日本少年サッカー大会	優勝
昭和62（1987）年	第1回全国少年少女草サッカー大会	優勝
昭和63（1988）年	第12回全日本少年サッカー大会	準優勝
平成元（1989）年	第3回全国少年少女草サッカー大会	優勝
平成3（1991）年	第5回全国少年少女草サッカー大会	優勝
平成4（1992）年	第16回全日本少年サッカー大会	優勝

平成5（1993）年　第17回全日本少年サッカー大会　準優勝
平成5（1993）年　第7回全国少年少女草サッカー大会　優勝
平成6（1994）年　第8回全国少年少女草サッカー大会　優勝
平成7（1995）年　第9回全国少年少女草サッカー大会　優勝
平成8（1996）年　第10回全国少年少女草サッカー大会　優勝
平成9（1997）年　第11回全国少年少女草サッカー大会　優勝
平成11（1999）年　第13回全国少年少女草サッカー大会　優勝
平成13（2001）年　第15回全国少年少女草サッカー大会　優勝
平成14（2002）年　第16回全国少年少女草サッカー大会　優勝
平成15（2003）年　第17回全国少年少女草サッカー大会　優勝
平成17（2005）年　第19回全国少年少女草サッカー大会　優勝

※清水で行われる全国大会に“全国少年少女草サッカー大会”があります。昭和62（1987）年に始まったこの大会は、全国各地から200チームを超える少年少女が集まって順位を競い合い、令和元（2019）年で33回を数えます。

●主な出身選手※

反町康治（横浜F）、堀池巧（清水）、長谷川健太（清水）、大榎克己（清水）、伊達倫央（磐田）、真田雅則（清水）、江尻篤彦（市原）、杉本雅央（清水）、佐野友昭（名古屋）、大嶽直人（横浜F）、岩科信秀（清水）、古賀琢磨（磐田）、平岡宏章（清水）、古賀正人（横浜M）、太田貴光（清水）、三浦文丈（横浜M）、堀池洋充（F東京）、吉村寿洋（磐田）、大嶽真人（C大阪）、髙橋佳秀（京都）、相馬直樹（鹿島）、藤田俊哉（磐田）、薩川了洋（横浜F）、大岩剛（名古屋）、源平貴久（川崎F）、野々村芳和（市原）、山田隆裕（横浜M）、斉藤俊秀（清水）、服部年宏（磐田）、望月重良（名古屋）、西ヶ谷隆之（名古屋）、伊東輝悦（清水）、田島宏晃（清水）、小川雅己（鹿島）、田中誠（磐田）、清水龍蔵（清水）、西澤明訓（C大阪）、山西尊裕（磐

田)、新村真一(清水)、大石玲(清水)、中払大介(福岡)、藤元大輔(福岡)、山崎光太郎(名古屋)、薬師寺直樹(市原)、平川忠亮(浦和)、市川大祐(清水)、平松康平(清水)、森勇介(V川崎)、高林祐樹(清水)、鈴木啓太(浦和)、池田昇平(清水)、菊地直哉(磐田)、山本海人(清水)、水野晃樹(千葉)、荒田智之(水戸)、長沢駿(清水)、林堂眞(甲府)、鍋田亜人夢(清水)、風間宏希(川崎F)、大島僚太(川崎F)、風間宏矢(川崎F)、宮本航汰(清水)

※(　)内はJリーグでの初年度登録のチームを表します(以下同じ)。なお、「横浜F」は横浜フリューゲルス(~1999)、「V川崎」は現在の東京ヴェルディ、「市原」はジェフユナイテッド市原・千葉、「平塚」は現在の湘南ベルマーレを表します。

清水FCは、昭和44(1969)年に発足された市内の小学生選手の選抜チーム。当初から国内遠征や海外遠征を行い、多くのJリーガーを輩出した。

サッカーのまち清水のステッカー

こちらは元清水FC監督・小花公生氏のデザイン。80年~90年代、清水のいたるところでこのステッカーを目にしたものです。

キャプテン翼と清水FC

サッカー漫画の代表といえば高橋陽一氏によるキャプテン翼です。昭和56（1981）年より「週刊少年ジャンプ」で連載され、世界的な大ヒット作となりました。

ストーリーは、サッカーが大好きで「ボールは友達」が信条の主人公・大空翼が、（架空の都市ではありますが）静岡県の南葛市を舞台に幼少期から小学生、中学、高校、プロサッカー選手へと活躍していく姿が描かれています。

キャプテン翼の連載が始まった当時の1980年代は、まだJリーグもなく、全国各地に少年サッカーが広まり始めた時代でした。そのような時代に、清水市ではいち早く子供から大人まで町ぐるみでサッカーに取り組む動きがあり、また、市内の小学校チームの選抜選手を集めて毎年全日本少年サッカー大会で好成績をおさめた清水FCが誕生しています。

キャプテン翼は清水FCがモデルとなっていると言われており、物語の南葛市では全日本少年サッカー大会県予選に備えて選抜チーム「南葛少年サッカークラブ（南葛SC）」を結成します。南葛小からは大空翼、岬太郎、石崎了、修哲小からは若林源三、高杉真吾、井沢守、滝一、来生哲平、山吹小からは岸田猛、西が丘小からは浦辺反次らが南葛SCの選手として選抜されます。

そして、県予選を制して全国大会出場を決め、全国の舞台では双子の立花兄弟（花輪SS）、準決勝では三杉淳（武蔵FC）、決勝戦では日向小次郎（明和FC）といったライバルたちとの激戦を制して優勝を果たします。

作者の高橋氏は、トークショーのなかで、アニメの舞台を静岡にしたのは、「連載が始まったのは1981年で、当時はもちろんJリーグはなく、日本リーグはありましたけど、人気だったのは高校サッカーでした。その中でも、清水商業、清水東、静岡学園、東海大学第一あたりの高校はすごく強くて。」と述べられています。

また、物語の背景については、「漫画ですから夢は大きいほうがいいな、と思って子どもの翼たちから始めました。ワールドカップで優勝して世界一のサッカー選手、というゴールは決めていましたので、そこを目指すと、小学生の頃から翼たちを鍛えないといけない。高校生の主人公だと足りないんじゃないかとは思っていました。小学生のレベルだと世界とそこまで差はついてないだろう、という考えもありましたね。全国少年大会も当時は清水FCが本当に強かったので、僕は東京から日本の中のブラジルみたいなイメージで見ていました。そのあたりを描きたかったですね。」と述べられています。

（2015.12.6 SURUGA bank CUP [FUTSAL FESTA]『キャプテン翼』作者・高橋陽一先生公開トークショーより）

キャプテン翼の連載は、昭和56（1981）年から平成10（1988）年まで小学生〜中学生時代の戦いが展開され、平成6（1994）年から平成9（1997）年までFIFAワールドユース選手権での活躍を描いた『ワールドユース編』、平成13（2001）年から平成16（2004）年まで『ROAD TO 2002』、平成17（2005）年から平成20（2008）年まで『GOLDEN-23』、平成21（2009）年から平成23（2011）年まで『海外激闘編』、平成25（2013）年から平成31（2019）年まで『ライジングサン』と続きます。これらの作品では、翼たち主要登場人物たちが日本のみならず世界各国でプロ選手として活躍する姿が描かれています。

現在では、作者の出身地である葛飾区で“リアル南葛SC”が立ち上げられ、Jリーグ入りを目指して東京都社会人リーグを戦われています。

中学サッカーと清水

中学年代の全国大会としては、昭和45（1970）年に始まった全国中学校体育大会（中体連）と昭和62（1987）年に始まった高円宮杯全日本ユースサッカー選手権大会（現在の高円宮杯JFA全日本U-15サッカー選手権大会）があります。

中体連において、清水市立第五中学校が昭和60（1985）年の第16回大会で準優勝、平成3（1991）年の第22回大会で優勝をおさめています。

昭和45（1970）年から続く中体連において、全国的にも歴代最多優勝7回を誇っているのが東海大第一中です。東海大第一中は、平成15（2003）年に現在の東海大学付属翔洋中学校として清水に移る前は静岡市柚木にありました。清水FCとは少し違った潮流とはなりますが、ここで紹介しておきます。

同校は、90年代の黄金期には全国でも圧倒的な強さを誇りました。平成元（1989）年の第20回大会で優勝を果たすと、92年、93年、94年と連覇、さらに、96年、97年、98年の連覇と2度の3連覇を成し遂げています。89年の優勝メンバーには川口能活、92年からの3連覇には、高原直泰が名を連ねるなど、数々のJリーガーを輩出した中学校として有名です。

●東海大第一中の主な成績

昭和63（1988）年	第19回全国中学校体育大会	準優勝
平成元（1989）年	第20回全国中学校体育大会	優勝 👑
平成元（1989）年	第1回高円宮杯全日本ユース選手権	準優勝
平成3（1991）年	第3回高円宮杯全日本ユース選手権	優勝 👑
平成4（1992）年	第23回全国中学校体育大会	優勝 👑
平成4（1992）年	第4回高円宮杯全日本ユース選手権	準優勝
平成5（1993）年	第24回全国中学校体育大会	優勝 👑
平成6（1994）年	第25回全国中学校体育大会	優勝 👑

平成8(1996)年	第27回全国中学校体育大会	優勝 👑
平成9(1997)年	第28回全国中学校体育大会	優勝 👑
平成10(1998)年	第29回全国中学校体育大会	優勝 👑
平成13(2001)年	第13回高円宮杯全日本ユース選手権	準優勝
平成14(2012)年	第43回全国中学校体育大会	準優勝

●東海一中の主な卒業生

内藤直樹(清水)、澤登正朗(清水)、川口能活(横浜M)、長橋康弘(清水)、佐藤由紀彦(清水)、入江徹(柏)、平山智規(柏)、川島眞也(広島)、高原直泰(磐田)、阿部謙作(甲府)、鈴木啓太(浦和)、鈴木孝明(鳥栖)、河野淳吾(広島)、佐野裕哉(東京V)、小林大悟(東京V)、狩野健太(横浜M)、井上渉(名古屋)、鈴木翼(相模原)

(写真:Mt223N/PIXTA)

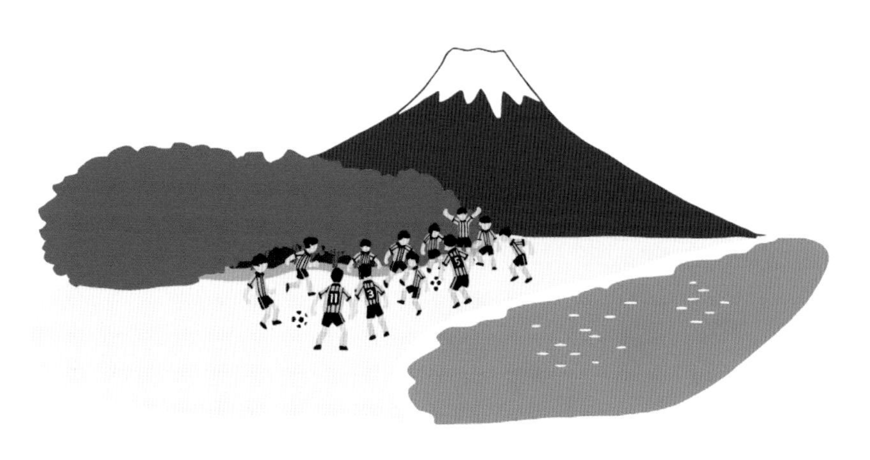

砂浜で鍛えられた足腰で全国制覇を目指す。

高校サッカーと清水

かつて、清水のお正月を象徴するものといえば、全国高校サッカー選手権でした。第62回（1983年）高校サッカー選手権、1年生ストライカー武田修宏を要した清水東高校vs帝京高校（東京）の決勝戦は、東京の国立競技場を6万2000人の観客で埋め尽くしたことからもその関心の高さが伺えます。

清水ではどこの家でも試合の時間はこたつを囲み、机の上にはみかん、お茶を飲みながらテレビにかじりついていたものです。第64回高校サッカー選手権では清水商vs四日市中央工（三重）の決勝戦で静岡地区の視聴率は36.8％を記録しました。

全国高校サッカーは、1980年代には清水勢が台頭し、昭和57（1982）年の第61回選手権で清水東が初優勝、第64回選手権では清水商、翌年は東海大一、さらに清水商は第67、72回選手権でも日本一になりました。

その3校で、全国高校サッカー選手権大会で優勝5回、準優勝4回、全国高等学校総合体育大会（インターハイ）で優勝8回、準優勝2回、高円宮杯全日本ユース選手権大会で優勝5回、準優勝1回などの成績をおさめることになります。

「ガンバレしみず」地元の企業もサッカーを応援

高校サッカーはプロへの登竜門としても注目を集め、日本代表にも選出された、川口能活や小野伸二、名波浩ら数え切れないほどのスター選手が清水の地から誕生しました。

とにかく県大会を勝ち抜くことがとても大変で、全国大会で勝つよりも静岡県大会を突破する方が難しいとまでいわれていたほどです。

近年は、全国的にサッカーが盛んとなり、プロリーグ誕生を契機にJリーグの各クラブがユース年代の下部組織を発足させたほか、優秀な指導者が増えたこともあって、高校サッカーの地域間格差が解消され、清水勢が結果を出せない低迷期が長らく続いているというのも事実です。強い清水勢の復権を願い、ここであらためて清水のサッカー名門3校と隣町の静岡学園の業績を振り返りたいと思います。

清水桜が丘高校（旧清水商業）

静岡市立清水桜が丘高等学校は、清水市立商業高等学校と静岡県立庵原高等学校が統合されて、平成25（2013）年に新設されました。

前身である清水商業高等学校は、大正11（1922）年に、地元6町村の協同で静岡県清見潟商業学校として設立。大正13（1924）年に市制施行により清水市立となり、清商の通称で知られていたのは記憶に新しいところです。

サッカー部は昭和26（1951）年に創部。全国的にもサッカーの強豪校として知られ、トリコロールカラーのユニフォームが特徴です。

第64回の選手権で初優勝に輝いたときは、レギュラー11人のうち8人（真田、清、高橋、山下、深沢、岩科、田中、江尻）が清水FCの出身者であり、清水サッカーの育成の成果が伺えます。

後に史上最強と呼ばれた平成2（1990）年のチームでは、レギュラー11人中、10人（大岩剛（名古屋）、薩川了洋（横浜F）、名波浩（磐田）、山田隆裕（横浜M）、望月慎之（京都）、大石尚哉（V川崎）、田光仁重（福岡）、望月重良（名古屋）、西ヶ谷隆之（名古屋）、興津大三（清水））がJリーガーになり、FW山田隆裕、MF名波浩、DF大岩剛、MF望月重良の4人は日本代表として活躍しました。

平成6年（1994）年のインターハイ、選手権の2冠のときは、3年生にGK川口能活、DF田中誠、2年生にMF佐藤由紀彦、FW安永聡太郎、1年生にFW藤元大輔らを擁して人気を博し、凱旋パレードの際にはJR清水駅前銀座に約3万人が詰めかけました。

これまで全国大会は全国高校サッカー選手権が3回、全国高校総体（インターハイ）が4回、高円宮杯全日本ユースサッカー選手権は5回の優勝。90年代の高校サッカー界を牽引し、数多くのプロサッカー選手を輩出しています。

●主な成績

昭和44(1969)年	第4回高校総体(インターハイ)	準優勝
昭和60(1985)年	第64回高校サッカー選手権	優勝
昭和63(1988)年	第67回高校サッカー選手権	優勝
平成元(1989)年	第24回高校総体(インターハイ)	優勝
平成2(1990)年	第25回高校総体(インターハイ)	優勝
平成2(1990)年	第1回高円宮杯全日本ユース	優勝
平成5(1993)年	第72回高校サッカー選手権	優勝
平成5(1993)年	第4回高円宮杯全日本ユース	優勝
平成6(1994)年	第29回高校総体(インターハイ)	優勝
平成6(1994)年	第5回高円宮杯全日本ユース	優勝
平成7(1995)年	第6回高円宮杯全日本ユース	優勝
平成8(1996)年	第31回高校総体(インターハイ)	優勝
平成9(1997)年	第8回高円宮杯全日本ユース	準優勝
平成12(2000)年	第11回高円宮杯全日本ユース	優勝

●主な卒業生

風間八宏(広島)、伊達倫央(磐田)、江尻篤彦(市原)、真田雅則(清水)、望月恒利(柏)、小山泰士(川崎F)、青島文明(清水)、岩科信秀(清水)、平岡宏章(清水)、太田貴光(清水)、三浦文丈(横浜M)、古賀正人(横浜M)、藤田俊哉(磐田)、岩﨑泰之(磐田)、大岩剛(名古屋)、薩川了洋(横浜F)、名波浩(磐田)、山田隆裕(横浜M)、望月慎之(京都)、源平貴久(川崎F)、大石尚哉(V川崎)、田光仁重(福岡)、望月重良(名古屋)、西ヶ谷隆之(名古屋)、安藤智安(浦和)、興津大三(清水)、平野孝(名古屋)、小川雅己(鹿島)、川口能活(横浜M)、鈴木悟(C大阪)、田中誠(磐田)、清水龍蔵(清水)、佐藤由紀彦(清水)、安永聡太郎(横浜M)、朝比奈伸(G大阪)、加藤泰明(名古屋)、新村真一(清水)、大石玲(清水)、藤元大輔(福岡)、松原忠明(清水)、小林弘記(磐田)、早川知伸(浦和)、川島眞也(広島)、薬師寺直樹(市原)、小林久晃(清水)、池端陽介(広島)、小野伸二(浦和)、前川大樹(仙台)、平川忠亮(浦和)、太田恵介(福岡)、池田学(浦和)、小林宏之(浦和)、楽山孝志(市原)、水谷雄一(平塚)、秋本倫孝(甲府)、佐野裕哉(東京V)、河野淳吾(広島)、小林大悟(東京V)、井上平(東京V)、曽我部巧(岐阜)、水野晃樹（千葉）、河野直人（名古屋）、平岡康裕（清水）、岡大生（甲府）、齊藤和樹（熊本）、庄司悦大（町田）、松本陽介（北九州）、風間宏希（川崎F）、風間宏矢（川崎F）、新井一耀（横浜M）、青木翼（岐阜）、佐野翼（熊本）、大石竜平（金沢）

■第64回選手権決勝メンバー

監督：大滝雅良
※ポジションはイメージです。

第64回大会（1985年）は4度目の出場。江尻篤彦が主将を務め、真田雅則らタレントを揃えて五戸（青森）、宇都宮学園（栃木）を倒して決勝へ。
相手は阪倉裕二（市原）率いる四日市中央工（三重）。前半23分に田中、後半14分に江尻の得点で2-0で押し切り、初優勝に輝く。

■第72回選手権決勝メンバー

監督：大滝雅良
※ポジションはイメージです。

第72回大会（1993年）では、準決勝でFW城彰二（市原）率いる鹿児島実業（鹿児島）をPK戦のすえ破る。
決勝戦は、前回王者の国見（長崎）。前半11分に藤元の先制点をあげるも後半24分に1-1に追いつかれる。後半32分鈴木（伸）の決勝弾で2-1。清商が5年振り3度目の優勝を飾る。

高円宮杯全日本ユース選手権

クラブと高校のチームが競い合う高円宮杯全日本ユース選手権大会が平成2(1990)年に開催され、清水商は初代王者に輝き、これまでに5回の優勝を果たしています。

回	年度	優勝	準優勝
1	平成2(1990)年	**清水商**	習志野
2	平成3(1991)年	徳島市立	国見
3	平成4(1992)年	藤枝東	読売日本SC
4	平成5(1993)年	**清水商**	鹿児島実業
5	平成6(1994)年	**清水商**	読売日本SC
6	平成7(1995)年	**清水商**	横浜マリノスユース
7	平成8(1996)年	鹿児島実業	東福岡
8	平成9(1997)年	東福岡	**清水商**
9	平成10(1998)年	藤枝東	ガンバ大阪ユース
10	平成11(1999)年	ジュビロ磐田ユース	ベルマーレ平塚ユース
11	平成12(2000)年	**清水商**	前橋商
12	平成13(2001)年	国見	FC東京U-18
13	平成14(2002)年	国見	星稜
14	平成15(2003)年	市立船橋	静岡学園
15	平成16(2004)年	サンフレッチェ広島ユース	ジュビロ磐田ユース
16	平成17(2005)年	ヴェルディユース	コンサドーレ札幌U-18
17	平成18(2006)年	滝川第二	名古屋グランパスU-18
18	平成19(2007)年	流通経済大柏	サンフレッチェ広島ユース
19	平成20(2008)年	浦和レッズユース	名古屋グランパスU-18
20	平成21(2009)年	横浜Fマリノスユース	ジュビロ磐田ユース
21	平成22(2010)年	サンフレッチェ広島ユース	FC東京U-18

静岡市立清水桜が丘高等学校

静岡市清水区桜が丘町7-15
電車… 静岡鉄道「桜橋駅」下車、徒歩3分
バス… JR清水駅から静鉄バス市立病院線「桜橋駅・桜が丘高校」下車、徒歩3分
車…… 東名「清水IC」から約10分

全国高校サッカー選手権3回、全国高校総体（インターハイ）4回、高円宮杯全日本ユースサッカー選手権5回の優勝を誇る。

区内にあるマンションの貯水タンク

清水東高

静岡県立清水東高等学校は、大正13(1924)年に県立庵原中学校として開校し、県立清水中学校、県立清水第一高等学校と名称が変わり、昭和24(1949)年に現在の県立清水東高等学校に改名されています。90余年の歴史と伝統を刻んでおり、静岡県内の高校で最も早く理数科を設置し、県内の理数科教育をリードしてきた屈指の進学校でもあります。

サッカー部の歴史は古く、昭和3(1928)年に創部されたのち、昭和33(1958)年の国民体育大会(富山国体)では杉山隆一(後のヤマハ発動機監督)らの活躍もあり初優勝を果たしています。

昭和55(1980)年、昭和56(1981)年に高校総体(インターハイ)を2連覇、同年の第61回全国高校サッカー選手権大会で優勝した黄金期には、MF大榎克己、FW長谷川健太、DF堀池巧の「清水東三羽烏」が活躍しました。のちに3選手は、Jリーグ創設期から清水エスパルスを支える中心選手となっています。

両ウィングを使ったオープン攻撃のスタイルを持ち、「清水東」で親しまれる同校からは、多くのすぐれた選手が輩出されています。平成10(1998)年のフランスW杯に相馬直樹、斉藤俊秀、平成14(2002)年の日韓W杯に西澤明訓、平成18(2006)年のドイツW杯に高原直泰、平成22(2010)年の南アフリカW杯に内田篤人、平成26(2014)年のブラジルW杯に内田篤人と、5回のワールドカップに卒業生を送り出すなどサッカー界での活躍はめざましいものとなっています。

静岡県立清水東高等学校

静岡市清水区秋吉町5番10号
バス… JR清水駅から静鉄バス山原梅蔭寺線「秋吉町」下車、徒歩3分
車…… 東名「清水IC」から約3分

●主な成績

昭和33(1958)年	第13回国民体育大会	優勝
昭和47(1972)年	第7回高校総体(インターハイ)	優勝
昭和49(1974)年	第53回高校サッカー選手権	準優勝
昭和55(1980)年	第59回高校サッカー選手権	準優勝
昭和55(1980)年	第15回高校総体(インターハイ)	優勝
昭和56(1981)年	第16回高校総体(インターハイ)	優勝
昭和57(1982)年	第61回高校サッカー選手権	優勝
昭和58(1983)年	第62回高校サッカー選手権	準優勝
平成3(1991)年	第26回高校総体(インターハイ)	優勝

●主な卒業生

望月一頼(広島)、沢入重雄(名古屋)、反町康治(横浜F)、大榎克己(清水)、長谷川健太(清水)、堀池巧(清水)、武田修宏(V川崎)、加藤慎一郎(清水)、塩川哲也(G大阪)、長澤徹(磐田)、古賀琢磨(磐田)、大滝勝巳(清水)、髙橋佳秀(京都)、相馬直樹(鹿島)、堀池洋充(F東京)、野々村芳和(市原)、斉藤俊秀(清水)、赤池保幸(札幌)、田島宏晃(清水)、西澤明訓(C大阪)、山西尊裕(磐田)、中払大介(福岡)、迫井深也(F東京)、武田直隆(新潟)、山崎光太郎(名古屋)、土屋慶太(1.FCザールブリュッケン)、高原直泰(磐田)、山本浩正(磐田)、高林佑樹(清水)、石間崇生(京都)、菊岡拓朗(水戸)、荒田智之(水戸)、多々良敦斗(松本)、内田篤人(鹿島)、田中舜(盛岡)、栗山直樹(千葉)

■ 第62回選手権決勝メンバー

監督：勝澤要
※ポジションはイメージです。

前回（第61回）大会は、当時2年生だった長谷川健太、大榎克己、堀池巧の"清水東三羽烏（からす）"がチームをけん引。5試合で17得点の攻撃的サッカーを押し出して初優勝を達成している。
翌年の第62回大会（1983年）、1年生ストライカーの武田修宏も加わり、優勝候補の筆頭に挙げられたが、決勝で帝京（東京）に0-1で惜しくも敗れた。

文武両道の進学校。昭和33（1958）年の国体優勝を皮切りに選手権4度の決勝進出、インターハイ優勝4回をおさめる。

東海大翔洋（旧東海大一高）

東海大学付属静岡翔洋高等学校は、清水区折戸にある私立高等学校です。東海大学の附属学校で、前身である東海大学高等学校が昭和26（1951）年に開校、昭和34（1959）年に東海大学第一高等学校に改名され、「東海大一」の通称で呼ばれていました。平成11（1999）年に東海大学第一高等学校と東海大学工業高等学校が合併して、東海大学付属翔洋高等学校が誕生しています。全国高校サッカー選手権の静岡県大会では8度の決勝戦で敗れていますが、全国大会へ進出した第65回では優勝、翌第66回では準優勝に輝きました。とくに第65回大会、国見（長崎）との決勝戦でみせた2年生MFアデミール・サントスのバナナシュートのフリーキックは高校サッカー史に残る名場面となっています。同じく2年生のMF澤登正朗はその後清水エスパルスに14年間（1992-2006）在籍し、ミスターエスパルスの愛称で親しまれることとなりました。平成8（1996）年アトランタ五輪では、DF白井博幸、MF伊東輝悦、FW松原良香が選出され、グループリーグでブラジル代表を1対0で下すなどの活躍をしています。

●主な成績

昭和61（1986）年	第65回高校サッカー選手権	優勝
昭和62（1987）年	第66回高校サッカー選手権	準優勝
平成3（1991）年	第26回高校総体（インターハイ）	準優勝

●主な卒業生

杉本雅央（清水）、三渡洲アデミール（清水）、佐野友昭（名古屋）、大嶽直人（横浜F）、内藤直樹（清水）、吉田康弘（鹿島）、澤登正朗（清水）、田坂和昭（平塚）、吉村寿洋(磐田)、大嶽真人(C大阪)、森島寛晃(C大阪)、服部年宏(磐田)、岩下潤(清水)、伊東輝悦(清水)、白井博幸(清水)、松原良香(磐田)、伊藤卓(名古屋)、阿部謙作(甲府)、鈴木啓太(浦和)、鈴木孝明(鳥栖)、鈴木翼(相模原)、河上将平(藤枝)

東海大学付属静岡翔洋高等学校・中等部

静岡市清水区折戸3丁目20-1
バス……JR清水駅から静鉄バス三保山の手線「東海大学・海技短大前」下車、徒歩4分
車……東名「清水IC」から約20分

■ 第65回選手権決勝メンバー

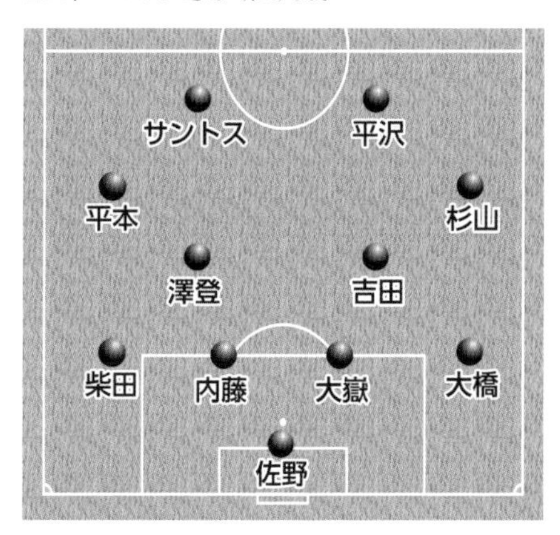

監督:望月保次
※ポジションはイメージです。

第65回大会(1986年)決勝戦の対戦相手は国見(長崎)。前半32分、距離約20メートルの位置からアデミール・サントスのフリーキックで先制。これで波に乗り後半33分にも大嶽の追加点で2-0で初優勝に輝く。
当時のディフェンスはマンツーマンが主流だったが、珍しいゾーンディフェンスで全試合無失点の鉄壁を誇った。

選手権では県大会で8度の準優勝となるが第65回では全国優勝、翌第66回では準優勝に輝く。平成17(2005)年には女子サッカー部も創設され、男女ともにサッカー王国復権を目指す。

静岡学園

静岡学園は、静岡市葵区にある私立高等学校です。

かつては、静岡市駿河区聖一色に所在していましたが、隣接する静岡県草薙総合運動場の改修計画に伴い、平成23(2011)年に旧県立静岡工業高等学校跡地に移転されました。とくに聖一色にあった頃は清水市との境でもあり、多くの大会で清水勢と競い合い、切磋琢磨していたことから本書では清水サッカーの一つに数えています。

サッカー部は、昭和42(1967)年に創部され、緑と黄色の静学カラーのユニフォームは高校サッカーファンにはおなじみとなっています。

1年生の12月にブラジルのCA Juventusへ渡ってしまいましたが、日本サッカー界を代表する三浦知良が通っていた高校としても知られています。

全国高校サッカー選手権に初めて出場した第55回大会では準優勝し、高い個人技とショートパスを巧みにつなぐラテンスタイルのサッカーが話題を呼びました。

第74回大会では、鹿児島実業(鹿児島)とともに初優勝を懸けて決勝戦を戦い、2-2のまま延長戦でも決着がつかず両校優勝となりました。

第98回大会の決勝戦では青森山田(青森)を破り、24年ぶりに優勝を果たしています。徹底して個人技を磨き、ドリブルを主体とした攻撃スタイル、多彩なパスワークは、“静学スタイル”と呼ばれ伝統となっています。

現在も200名を超える部員をかかえ、これまで日本代表のMF大島僚太をはじめコンスタントにJリーガーを輩出し続けています。

●主な成績

昭和51（1976）年	第55回高校サッカー選手権	準優勝
平成7（1995）年	第74回高校サッカー選手権	優勝 👑
平成15（2003）年	第14回高円宮杯全日本ユース	準優勝
平成23（2011）年	第46回高校総体（インターハイ）	準優勝
平成31（2019）年	第98回高校サッカー選手権	優勝 👑

●主な卒業生

森下申一（磐田）、杉山誠（鹿島）、松永英機（V川崎）、三浦泰年（清水）、向島建（清水）、三浦知良（V川崎）、北村邦夫（G大阪）、遠藤孝弘（福岡）、鈴木正治（横浜M）、内藤潤（横浜F）、広山晴士（V川崎）、加藤正浩（横浜M）、川口良輔（磐田）、水崎靖（C大阪）、坂本義行（横浜F）、今藤幸治（G大阪）、増田忠俊（鹿島）、松山大地（平塚）、橋本靖記（浦和）、佐藤栄達（市原）、大石信幸（横浜F）、山村博士（G大阪）、望月学（清水）、栗田泰次郎（鹿島）、鈴木紀昭（清水）、鍋田和理（柏）、久保山由清（横浜F）、向島満（名古屋）、牧野直樹（V川崎）、森川拓巳（柏）、深澤仁博（横浜M）、森山敦司（横浜F）、桜井孝司（横浜F）、村松勇輝（川崎F）、塩川岳人（山形）、石井俊也（浦和）、内藤修弘（清水）、倉貫一毅（磐田）、坂本紘司（磐田）、飯塚浩記（山形）、山崎哲也（山形）、南雄太（柏）、大石鉄也（川崎F）、松田和之（山形）、渡辺誠（甲府）、小池良平（大分）、菅原太郎（柏）、櫻田和樹（草津）、永田充（柏）、谷澤達也（柏）、安藤淳（京都）、小林祐三（柏）、松下幸平（磐田）、横山拓也（浦和）、狩野健太（横浜M）、中村友亮（神戸）、加門亮兵（岡山）、杉山力裕（川崎F）、先崎勝也（町田）、國吉貴博（甲府）、枝本雄一郎（群馬）、杉浦恭平（川崎F）、吉野峻光（C大阪）、大石治寿（藤枝）、吉田豊（甲府）、戸高弘貴（町田）、中西倫也（富山）、星野有亮（金沢）、大島僚太（川崎F）、木本恭生（C大阪）、伊東幸敏（鹿島）、福島春樹（浦和）、山本真也（八戸）、長谷川竜也（川崎F）、加納錬（相模原）、木部未嵐（松本）、米田隼也（長崎）、名

古新太郎（鹿島）、石渡旭（福島）、旗手怜央（川崎F）、薩川淳貴（讃岐）、鹿沼直生（相模原）、山ノ井拓己（福岡）、渡井理己（徳島）、松村優太（鹿島）、田邉秀人（川崎F）

■ 第74回選手権決勝メンバー

第74回大会（1995年）決勝戦の相手は鹿児島実業（鹿児島）。MF森山とMF石井の得点で2点を先行したが、鹿児島実業が2点を決めて同点。延長戦に突入するも両校得点を奪えず、両校優勝となった。1ボランチ2トップ2シャドーで攻撃的サッカーを展開。

監督：井田勝通
※ポジションはイメージです。

■ 第98回選手権決勝メンバー

第98回大会（2019年）決勝戦の相手は、前回王者・青森山田（青森）。前半で2点をリードされていた所から、前半終了間際にDF中谷が1点返す。後半16分にFW加納、40分にDF中谷の得点で3-2で逆転勝利。悲願の単独優勝を果たした。

監督：川口修
※ポジションはイメージです。

静岡学園中学校・高等学校

静岡市葵区東鷹匠町25
電車… JR「静岡駅」下車、徒歩20分・静岡鉄道「音羽町駅」下車、徒歩8分
バス… JR静岡駅から静鉄バス東部団地線「横内町静岡学園入口」下車、徒歩2分
車…… 東名「静岡IC」から約20分

徹底して個人技を磨き、ドリブルを主体とした攻撃スタイル、多彩なパスワークは、"静学スタイル"として観る者を魅了する。

「ようこそ清水へ!」

こちらは柳原良平氏(1931年~2015年)のデザイン。東名高速道路清水ICを降りた所にある非常用貯水タンクの壁面に描かれたイラストは、当地のシンボルとなっている。1983年に設置。

高校サッカー静岡県大会の結果

高校サッカーの主な大会としては、夏に行われる全国高等学校総合体育大会(高校総体、インターハイ)と冬に行われる全国高校サッカー選手権大会があります。

高校総体(インターハイ)は、昭和38(1963)年に始まり、都道府県大会から勝ち残った高校が全国大会へと出場します。全国大会での優勝は、清水東5回、清水商3回、準優勝は、清水商、東海大一、静岡学園がそれぞれ1回となっています。

また、大正7(1918)年に始まった全国高校サッカー選手権大会は、当初は東海地域で出場権を争っていたため、昭和29(1954)年まで静岡県勢の出場はありませんでした。昭和35(1960)年より静岡県予選となっています。全国大会での優勝は、清水商3回、静岡学園2回、清水東1回、東海大一1回、準優勝は、清水東9回、静岡学園1回、東海大一1回となっています。

※　　は清水勢を表しています。

	高校総体(インターハイ)			選手権大会			
	代表校	全国大会成績	静岡県大会決勝	回	代表校	全国大会成績	静岡県大会決勝
昭和25(1950)	-	-	-	第29回	静岡城内	2回戦	
昭和30(1955)	-	-	-	第34回	藤枝東	2回戦	刈谷
昭和31(1956)	-	-	-	第35回	藤枝東	ベスト4	静岡工
昭和32(1957)	-	-	-	第36回	藤枝東	ベスト8	静岡工
昭和33(1958)	-	-	-	第37回	藤枝東	ベスト8	清水東

	高校総体(インターハイ)			選手権大会			
	代表校	全国大会成績	静岡県大会決勝	回	代表校	全国大会成績	静岡県大会決勝
昭和34(1959)	-	-	-	第38回	藤枝東	ベスト4	清水商
昭和35(1960)	-	-	-	第39回	藤枝東	ベスト4	2次リーグ1位
昭和36(1961)	-	-	-	第40回	藤枝東	ベスト8	清水工業
昭和37(1962)	-	-	-	第41回	藤枝東	優勝	藤枝北
昭和38(1963)	-	-	-	第42回	藤枝東	優勝	清水東
昭和39(1964)	-	-	-	第43回	藤枝東	ベスト8	藤枝北
昭和40(1965)	-	-	-	第44回	藤枝北	2回戦	清水東
昭和41(1966)	藤枝東	優勝	浜松北	第45回	藤枝東	優勝	高校総体1位
昭和42(1967)	清水東	3回戦	静岡工業	第46回	-	-	-
	藤枝東	3回戦					
昭和43(1968)	藤枝東	2回戦	清水南	第47回	藤枝東	ベスト8	東海代表推薦
昭和44(1969)	清水商	準優勝	静岡工業	第48回	清水商	ベスト8	高校総体2位
					藤枝東	ベスト8	国体3位
昭和45(1970)	浜名	優勝	清水東	第49回	藤枝東	優勝	東海代表推薦
					浜名	準優勝	高校総体1位
昭和46(1971)	藤枝東	優勝	清水東	第50回	清水商	ベスト4	決勝リーグ1位
	浜名	ベスト8					
昭和47(1972)	清水東	優勝	自動車工	第51回	藤枝東	準優勝	自動車工
	藤枝東	ベスト4					
昭和48(1973)	清水東	優勝	浜名	第52回	藤枝東	準優勝	浜名
	藤枝東	ベスト4					
昭和49(1974)	浜名	優勝	藤枝工業	第53回	清水東	準優勝	静岡工業
昭和50(1975)	静岡工業	2回戦	清水東	第54回	静岡工業	準優勝	浜名
	浜名	ベスト8					

	高校総体（インターハイ）			選手権大会			
	代表校	全国大会成績	静岡県大会決勝	回	代表校	全国大会成績	静岡県大会決勝
昭和51（1976）	浜名	ベスト8	静岡工業	第55回	静岡学園	準優勝	東海大一
昭和52（1977）	自動車工業	ベスト8	静岡学園	第56回	浜名	1回戦	藤枝東
昭和53（1978）	藤枝東	3回戦	清水東	第57回	静岡学園	2回戦	清水商
昭和54（1979）	清水商	ベスト8	静岡学園	第58回	藤枝東	ベスト8	清水東
昭和55（1980）	清水東	優勝	静岡工業	第59回	清水東	準優勝	浜名
昭和56（1981）	清水東	優勝	静岡工業	第60回	清水商	ベスト4	静岡工業
昭和57（1982）	藤枝東	3回戦	清水商	第61回	清水東	優勝	東海大一
昭和58（1983）	清水商	ベスト4	静岡学園	第62回	清水東	準優勝	静岡学園
昭和59（1984）	清水東	3回戦	清水商	第63回	藤枝東	ベスト4	東海大一
昭和60（1985）	静岡北	2回戦	静岡	第64回	清水商	優勝	東海大一
昭和61（1986）	清水東	2回戦	静岡学園	第65回	東海大一	優勝	清水東
昭和62（1987）	清水商	ベスト8	浜名	第66回	東海大一	準優勝	清水商
昭和63（1988）	東海大一	1回戦	藤枝東	第67回	清水商	優勝	清水東
平成1（1989）	清水商	優勝	清水東	第68回	清水東	3回戦	東海大一
平成2（1990）	清水商	優勝	清水東	第69回	清水商	3回戦	全国推薦
					清水東	2回戦	東海大一
平成3（1991）	清水東	優勝	-	第70回	清水商	3回戦	浜名
	東海大一	準優勝	-				
平成4（1992）	清水東	ベスト4	藤枝東	第71回	静岡学園	ベスト8	東海大一
平成5（1993）	清水商	ベスト4	藤枝東	第72回	清水商	優勝	藤枝東

	高校総体（インターハイ）			選手権大会			
	代表校	全国大会成績	静岡県大会決勝	回	代表校	全国大会成績	静岡県大会決勝
平成6（1994）	清水商	優勝	藤枝東	第73回	清水商	2回戦	静岡学園
平成7（1995）	清水商	2回戦	浜松西	第74回	静岡学園	優勝	清水東
平成8（1996）	清水商	優勝	静岡市立	第75回	静岡学園	ベスト4	藤枝東
平成9（1997）	清水商	3回戦	清水東	第76回	藤枝東	ベスト4	静岡学園
平成10（1998）	藤枝東	1回戦	清水東	第77回	清水商	3回戦	静岡学園
平成11（1999）	浜名	3回戦	静岡学園	第78回	静岡学園	ベスト8	藤枝東
平成12（2000）	清水商	ベスト8	藤枝東	第79回	清水商	3回戦	静岡学園
平成13（2001）	藤枝東	準優勝	静岡学園	第80回	静岡学園	3回戦	清水東
平成14（2002）	清水商	ベスト4	浜名	第81回	静岡学園	1回戦	藤枝東
平成15（2003）	藤枝東	3回戦	浜名	第82回	藤枝東	1回戦	清水東
平成16（2004）	藤枝東	1回戦	清水商	第83回	藤枝東	3回戦	常葉学園橘
平成17（2005）	磐田東	1回戦	清水商	第84回	常葉学園橘	1回戦	浜名
平成18（2006）	浜名	2回戦	浜松湖東	第85回	静岡学園	ベスト8	藤枝東
平成19（2007）	藤枝東	3回戦	静岡学園	第86回	藤枝東	準優勝	藤枝明誠
平成20（2008）	東海大翔洋	3回戦	清水商	第87回	藤枝東	3回戦	常葉学園橘
平成21（2009）	清水商	2回戦	静岡学園	第88回	藤枝明誠	ベスト8	清水商
平成22（2010）	静岡学園	3回戦	清水商	第89回	静岡学園	3回戦	清水商
平成23（2011）	静岡学園	準優勝	藤枝東	第90回	清水商	3回戦	静岡学園

	高校総体（インターハイ）			選手権大会			
	代表校	全国大会成績	静岡県大会決勝	回	代表校	全国大会成績	静岡県大会決勝
平成24（2012）	静岡学園	ベスト8	清水商	第91回	常葉学園橘	1回戦	藤枝明誠
平成25（2013）	静岡学園	2回戦	藤枝東	第92回	藤枝東	2回戦	清水桜が丘
平成26（2014）	東海大翔洋	2回戦	清水桜が丘	第93回	静岡学園	3回戦	藤枝東
平成27（2015）	清水桜が丘	2回戦	浜松開誠館	第94回	藤枝東	1回戦	清水桜が丘
平成28（2016）	静岡学園	ベスト8	浜松開誠館	第95回	藤枝明誠	1回戦	浜松開誠館
平成29（2017）	静岡学園	2回戦	清水東	第96回	清水桜が丘	1回戦	静岡学園
平成30（2018）	藤枝東	2回戦	清水桜が丘	第97回	浜松開誠館	1回戦	静岡学園
平成31（2019）	清水桜が丘	2回戦	静岡学園	第98回	静岡学園	優勝	富士市立
令和2（2020）	新型コロナウイルスの影響により中止			第99回	藤枝明誠	3回戦	東海大翔洋

近年は全国大会での苦戦が続いているが、それでも清水勢はコンスタントに好成績をおさめている。

清水東高と東海大一は、県大会の重要な局面で名勝負を重ねてきた。

左／サッカーボール型の遊具（大内公園）　右／駅前のモニュメント

エスパルス通り

サッカー神社

清水には2つのサッカー神社があります。

●魚町稲荷神社

ときは戦国時代、永禄12(1569)年に甲斐の武田信玄が現在の江尻小学校の敷地に江尻城を築き、その後天正6(1578)年、当時の城主・穴山信君が江尻城の鎮護の神として社殿を造営したのがこの稲荷神社といわれています。

今では、境内に巨大なサッカーボールの形をした「日本少年サッカー発祥の碑」があり、毎年、清水エスパルスの選手がシーズン前に必勝祈願を行うことでも有名です。

魚町稲荷神社

静岡市清水区江尻町14-74
バス… JR清水駅から静鉄バス梅ヶ谷蜂ヶ谷線「大手町」下車、徒歩約6分
車…… 東名「清水IC」から約7分

●小芝八幡宮

　小芝八幡宮は、弘仁2（811）年に嵯峨天皇が創建し、古称家尻（江尻）の里に建立されたと伝えられています。戦国時代には、同じく武田信玄が、江尻城築城の際、八幡宮を鎮守の神として祀り、慶長6（1601）年の江尻城の廃城後に現在の地に移されました。令和の現代においてもなお人々の崇敬を集めています。

小芝八幡宮

静岡市清水区小芝4-10
バス… JR清水駅から静鉄バス梅ヶ谷蜂ヶ谷線「清水税務署前」下車、徒歩約4分
車…… 東名「清水IC」から約5分

清水エスパルス

さて、ここからは清水に本拠地を置くプロサッカークラブ、清水エスパルス（Shimizu S-Pulse）を紹介しておきます。

Jリーグは平成3（1991）年に設立され、平成5（1993）年に開幕しています。平成3（1991）年のJリーグ発足にあわせ、清水FCエスパルスとしてチームが創設されました。当時、全国各地の実業団で活躍していた大榎克己（ヤマハ発動機）、長谷川健太（日産自動車）、堀池巧（読売クラブ）、内藤直樹（日立製作所）、真田雅則（全日空）、青島文明（ヤマハ発動機）などの選手たちが清水のためにと集結してチームが出来上がりました。平成5（1993）年のJリーグ開幕を戦った10クラブ（オリジナル10）では、Jリーグの前身である日本リーグ（JSL）の名門クラブが名を連ねる中、清水エスパルスだけが唯一母体となる企業チームをもたない市民クラブとして参加しました。ホームタウンは清水区に置かれ、ホームスタジアムは日本平、クラブハウスと練習場はエスパルス三保グラウンドにあります。チーム名の「エス（S）」は「サッカー、清水、静岡」の頭文字で、「パルス（PULSE）」は英語で心臓の鼓動を意味しています。

Jリーグ開幕に先立って行われた平成4（1992）年のヤマザキナビスコカップでは、初戦を飾った日本人登録選手32名のうち、11名（真田雅則、大滝勝巳、平岡宏章、小谷勝治、大榎克己、岩科信秀、太田貴光、長谷川健太、杉山学、岩下潤、堀池巧）が清水FC出身者で、そのほか東海大一から3名（澤登正朗、アデミール・サントス、内藤直樹）、清水商から1名（青島文明）、静岡学園から2名（三浦泰年、向島健）で構成するなど地域密着のチーム編成となりました。記念すべき初戦は7月4日のガンバ大阪戦で、この日がエスパルスの誕生日となっています。

翌年にはJリーグが開幕し、初陣である横浜フリューゲルス戦は惜しくも2対3で敗れますが、1stステージ4位、2ndステージ2位、ナビスコカップ準優勝、天皇杯ベスト4、初代新人王にMF澤登が選ばれるなど、Jリーグの中でも強豪のひとつに挙げられる人気チームとなっていきます。

ホームスタジアムは、平成3(1991)年に静岡県で行われた高校総体サッカー競技のメイン会場として作られ、当時日本では1万人収容のサッカー専用スタジアムは画期的なものでした。平成13(2001)年から平成28(2016)年まで表彰が行われていたJリーグアウォーズベストピッチ賞では8年連続9回の受賞をしています。

チームカラーのオレンジは、静岡県の名産であるミカンの色であることに加え、喜び・希望・若さ・前進・元気などをイメージさせることに由来しています。当初、清水市が港を中心として発展してきた街であること、市内のサッカー強豪高校が青系統のユニフォームを使用していることなど、市民には青が馴染みのある色であったため青系が検討されましたが、10クラブに青系統のクラブが既に多数(横浜マリノス、横浜フリューゲルス、ガンバ大阪)あったことから差別化を図ることや各クラブ間の色のバランスをとるために別の色を検討した結果、オレンジがメインとなったようです。

■ 1993年Jリーグ開幕戦のメンバー

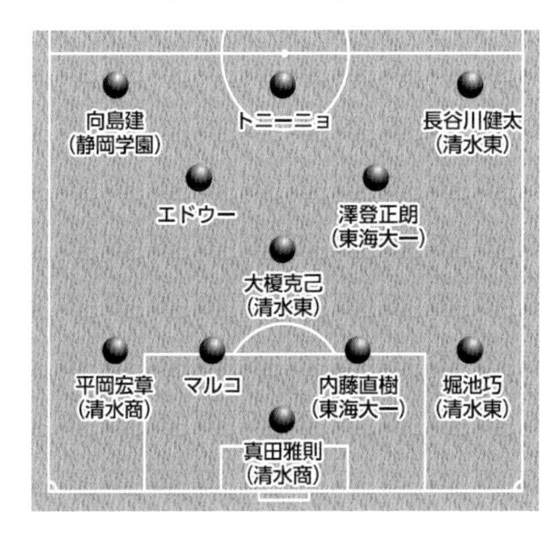

Jリーグ開幕節は5月16日に三ツ沢公園球技場で行なわれた横浜フリューゲルス戦。前半42分エドゥーのチーム初ゴールで一度は同点とするも、後半にモネール、前田治に得点を許し2-3と惜敗を喫する。
途中交代は、後半19分にIN杉本(東海大一)OUT向島、後半26分にIN青嶋(清水商)OUT平岡。

監督:エメルソン・レオン
※ポジションはイメージです。

●主な成績

平成4（1992）年	第1回Jリーグヤマザキナビスコカップ	準優勝
平成5（1993）年	第2回Jリーグヤマザキナビスコカップ	準優勝
平成8（1996）年	第4回Jリーグヤマザキナビスコカップ	優勝
平成10（1998）年	第78回天皇杯全日本選手権	準優勝
平成11（1999）年	J1リーグ2ndステージ	優勝
平成12（2000）年	第80回天皇杯全日本選手権	準優勝
平成13（2001）年	第81回天皇杯全日本選手権	優勝
平成17（2005）年	第85回天皇杯全日本選手権	準優勝
平成20（2008）年	第16回Jリーグヤマザキナビスコカップ	準優勝
平成22（2010）年	第90回天皇杯全日本選手権	準優勝
平成24（2012）年	第20回Jリーグヤマザキナビスコカップ	準優勝

IAIスタジアム日本平

静岡市清水区村松3880-1

バス…JR清水駅から静鉄バス山原梅蔭寺線及び市立病院線等「日本平運動公園入口」下車、徒歩10分

車……東名「清水IC」から約20分、東名「日本平久能山スマートIC」から約18分

株式会社エスパルス（クラブハウス）

静岡市清水区三保2695-1

バス…JR清水駅から静鉄バス三保山の手線「三保車庫前」下車、徒歩約15分

車……東名「清水IC」から約25分、東名「日本平久能山スマートIC」から約25分。駐車場173台

チーム名の「エス（S）」は「サッカー、清水、静岡」の頭文字で、「パルス（PULSE）」は英語で心臓の鼓動を意味している。

清水エスパルスユース

平成3(1991)年に発足されたJリーグは、地域密着と地域貢献を理念に掲げ、そのひとつの手段として、各クラブチームにユース(高校年代)とジュニアユース(中学年代)を保有することを義務づけました。

プロリーグの清水エスパルスでも、平成5(1993)年にユースとジュニアユース、平成27(2015)年にジュニア(小学生年代)の育成組織が創設されました。

選手の能力によって、ジュニアユースの選手がユースの練習に参加したり、ユースの選手がトップチームの練習に参加したりと、上のカテゴリーでの練習参加・試合出場が頻繁に行われ、組織的なピラミッドが構築されています。

ユースで育った選手として真っ先に思い浮かぶのは、右サイドバックとして活躍した元日本代表DF市川大祐でしょう。平成14(2002)年の日韓W杯にも出場を果たし、17歳322日という日本代表最年少出場記録※を持っています。

令和2(2020)年のトップチーム所属の選手30名のうち、ユース出身者が10名を占めるなど、近年ではユースからJリーガーになるケースが増加傾向にあります。

※日本代表の最年少出場記録

1	市川大祐	17歳322日	日韓W杯共同開催記念試合(1998)
2	久保建英	18歳005日	キリンチャレンジカップ(2019)
3	小野伸二	18歳186日	日韓W杯共同開催記念試合(1998)
7	風間八宏	19歳067日	スペインW杯予選(1980)

■ユース（高校年代）

ユース（高校年代）の大会としては、昭和52（1977）年に始まった日本クラブユースU-18サッカー選手権大会と平成5（1993）年に始まったJリーグユースカップ、平成23（2011）年に始まった高円宮杯JFA U-18サッカーリーグがあります。

清水エスパルスユースは、近年、日本クラブユース選手権の第40回で準優勝、第42回で優勝を果たし、Jユースカップでは準優勝、プレミアリーグ・イーストでは3位に輝くなど過去最高の成績を残しています。

●ユースの主な成績

平成9（1997）年	第5回Jリーグユース選手権（Jユースカップ）	優勝 👑
平成12（2000）年	第8回Jリーグユース選手権（Jユースカップ）	準優勝
平成14（2002）年	第26回日本クラブユース選手権	優勝 👑
平成17（2005）年	第13回Jリーグユース選手権（Jユースカップ）	優勝 👑
平成28（2016）年	第40回日本クラブユース選手権	準優勝
平成30（2018）年	第42回日本クラブユース選手権	優勝 👑
平成30（2018）年	第26回Jリーグユース選手権（Jユースカップ）	準優勝

●ユースの主な出身者

山本貴広（清水）、矢野マイケル（神戸）、野澤洋輔（清水）、平松康平（清水）、和田雄三（清水）、谷川烈（清水）、市川大祐（清水）、森勇介（V川崎）、高林佑樹（清水）、吉崎雄亮（清水）、池田昇平（清水）、鈴木浩介（清水）、太田圭輔（清水）、村松潤（清水）、鈴木隼人（清水）、高木純平（清水）、塩澤達也（清水）、鶴田達也（清水）、浅山郷史（清水）、深沢良輔（清水）、日高拓磨（鳥栖）、菊地直哉（磐田）、杉山浩太（清水）、阿部文一朗（清水）、森安洋文（岐阜）、山本海人（清水）、鈴木真司（清水）、枝村匠馬（清水）、赤星貴文（浦和）、山本真希（清水）、中村祐輝（岐阜）、佐野克彦（清水）、長沢駿（清水）、藤牧祥吾（甲府）、前田陽平（湘南）、高橋真登（藤枝）、鍋田亜人夢（清水）、柴原誠（清水）、石原崇兆（岡山）、三渡洲舞人（東京V）、成田恭輔（相模原）、前澤甲気

（沼津）、犬飼智也（清水）、柏瀬暁（清水）、山崎祐也（金沢）、石毛秀樹（清水）、加賀美翔（清水）、藤嵜智貴（沼津）、高木和徹（清水）、北川航也（清水）、鈴木準弥（藤枝）、鈴木翔太（藤枝）、西澤健太（清水）、水谷拓磨（清水）、宮本航汰（清水）、村松航太（北九州）、立田悠悟（清水）、伊藤研太（清水）、滝裕太（清水）、平墳迅（清水）、梅田透吾（清水）、ノリエガ・エリック（清水）、川本梨誉（清水）、成岡輝瑠（清水）

■ジュニアユース（中学年代）

ジュニアユースの大会としては、昭和61（1986）年に始まった日本クラブユース選手権（U-15）と昭和62（1987）年に始まった高円宮杯全日本ユースサッカー選手権大会（現在の高円宮杯JFA日本U-15サッカー選手権大会）、平成9（1997）年から平成30（2018）年まで開催されていたJFA全日本U-15サッカー大会（プレミアカップ）があります。

清水エスパルスジュニアユースは、日本クラブユース選手権で7回の優勝と4回の準優勝を果たし、平成23（2011）年の第26回大会では北川航也がMVPおよび得点王、平成28（2016）年の第31回大会では青島太一がMVPに輝いています。

平成28（2016）年には、川本梨誉、成岡輝瑠、青島太一らがJFA全日本U-15サッカー大会、日本クラブユース選手権、高円宮杯全日本ユースU-15選手権の全国三冠を達成しています。

平成29（2017）年にはプレミアカップと高円宮杯でベスト4、平成30（2018）年はJFA全日本U-15サッカー大会16、17、18年の三連覇を果たしています。

近年、全国大会で7回連続ベスト4以上（うち優勝5回）という誇るべき結果を残しています。

●ジュニアユースの主な成績

平成7(1995)年	第10回日本クラブユース選手権	優勝 👑
平成8(1996)年	第11回日本クラブユース選手権	優勝 👑
平成9(1997)年	第12回日本クラブユース選手権	優勝 👑
平成10(1998)年	第2回JFA全日本U-15サッカー大会	優勝 👑
平成10(1998)年	第13回日本クラブユース選手権	準優勝
平成10(1998)年	第10回高円宮杯全日本ユース選手権	優勝 👑
平成11(1999)年	第3回JFA全日本U-15サッカー大会	準優勝
平成11(1999)年	第14回日本クラブユース選手権	準優勝
平成12(2000)年	第4回JFA全日本U-15サッカー大会	優勝 👑
平成12(2000)年	第12回高円宮杯全日本ユース選手権	優勝 👑
平成18(2006)年	第21回日本クラブユース選手権	準優勝
平成22(2010)年	第25回日本クラブユース選手権	優勝 👑
平成23(2011)年	第26回日本クラブユース選手権	優勝 👑
平成26(2014)年	第29回日本クラブユース選手権	準優勝
平成28(2016)年	第20回JFA全日本U-15サッカー大会	優勝 👑
平成28(2016)年	第31回日本クラブユース選手権	優勝 👑
平成28(2016)年	第28回高円宮杯全日本ユース選手権	優勝 👑
平成29(2017)年	第21回JFA全日本U-15サッカー大会	優勝 👑
平成30(2018)年	第22回JFA全日本U-15サッカー大会	優勝 👑

選手権優勝＝サッカー王国のイメージは根強いものがあるが、清水エスパルスユースは、Jリーグユース選手権で優勝3回、日本クラブユース選手権で優勝2回、ジュニアユースは、プレミアカップ、日本クラブユース選手権、高円宮杯全日本ユースU15選手権の三冠、プレミアカップ三連覇という成績をおさめ、FW北川航也、DF立田悠悟など日本代表選手を輩出している。

■ジュニア（小学年代）

清水エスパルスでは、トップチームで活躍する選手の育成を最大目標として、ジュニア（U12）からユース（U18）までの各年齢、各カテゴリーで一貫指導が行われています。

清水エスパルスジュニアでは、全国少年少女草サッカー大会で清水FCが平成17（2005）年に最後に優勝して以降、12年ぶりに優勝をおさめています。

●ジュニアの主な成績

平成29（2017）年　第31回全国少年少女草サッカー大会　優勝

日常の中にあるエスパルス

銀行駐車場に置かれているサッカーボール花壇

長泉町にある静岡サッカーミュージアムでは、エスパルスのユニフォームやこれまでの軌跡が展示されています。

エスパルスのある町―清水。駅の改札を降りればエスパルスのエンブレムや選手のポスターをはじめオレンジが目に映ります。

ホームゲームでは、霊峰富士を望むIAIスタジアム日本平で試合が開催されています。

ホームゲームの当日は、区内の商業施設、コンビニ、住宅地など街中にエスパルスの旗が掲げられます。

エスパルス通り

清水区港町には、全長約240mのエスパルス通りがあります。その歩道には、清水エスパルス歴代の監督・選手・コーチ56人のサインや足型（キーパーは手型）が埋め込まれています。

港町商店街

バス… JR清水駅から静鉄バス三保山の手線「港橋」下車、徒歩5分
車…… 東名「清水IC」から約15分

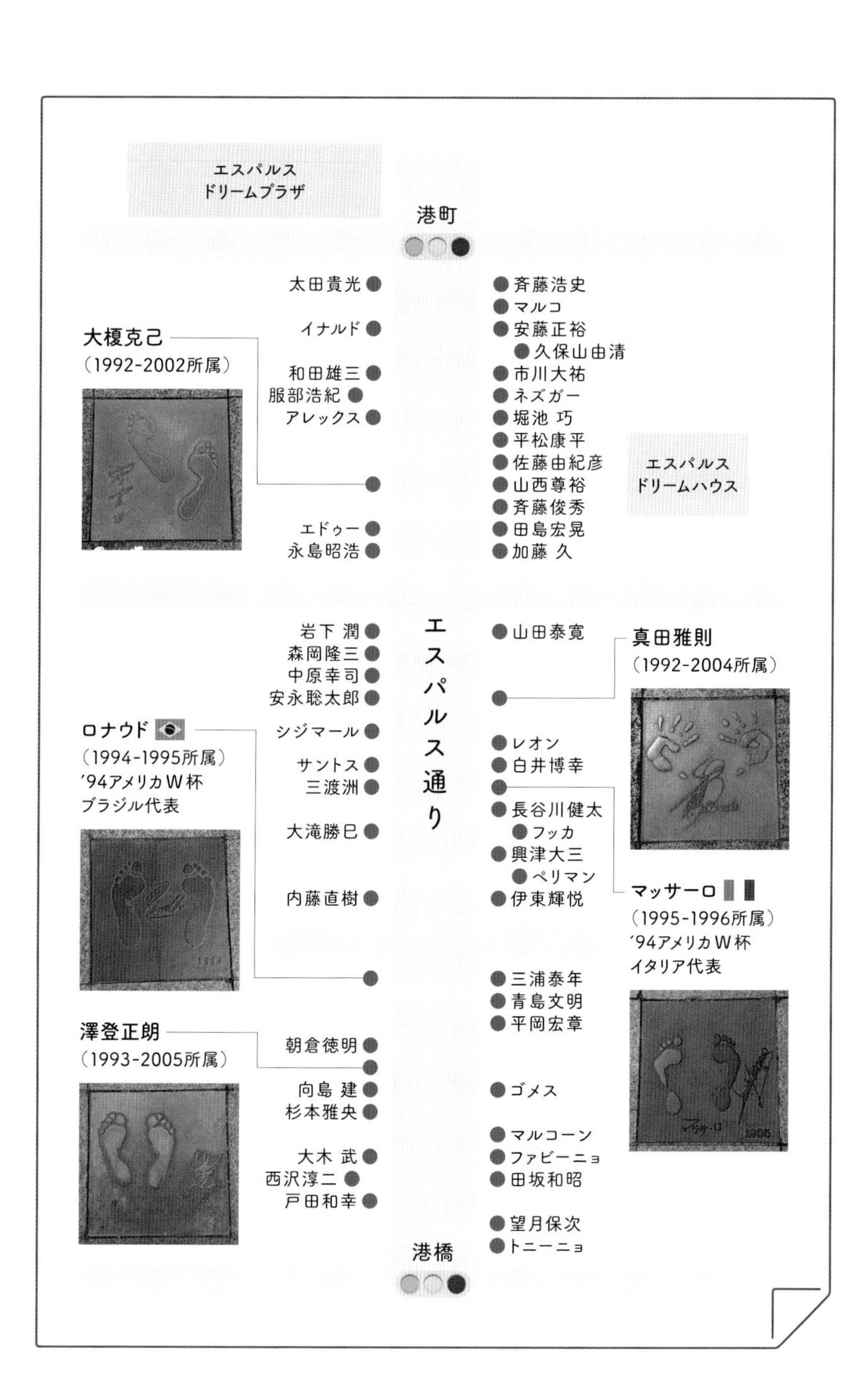
エスパルス
ドリームプラザ
港町
太田貴光
イナルド
和田雄三
服部浩紀
アレックス
エドゥー
永島昭浩
斉藤浩史
マルコ
安藤正裕
久保山由清
市川大祐
ネズガー
堀池 巧
平松康平
佐藤由紀彦
山西尊裕
斉藤俊秀
田島宏晃
加藤 久
エスパルス
ドリームハウス
大榎克己
(1992-2002所属)
岩下 潤
森岡隆三
中原幸司
安永聡太郎
シジマール
サントス
三渡洲
大滝勝巳
内藤直樹
朝倉徳明
向島 建
杉本雅央
大木 武
西沢淳二
戸田和幸
エスパルス通り
山田泰寛
レオン
白井博幸
長谷川健太
フッカ
興津大三
ペリマン
伊東輝悦
三浦泰年
青島文明
平岡宏章
ゴメス
マルコーン
ファビーニョ
田坂和昭
望月保次
トニーニョ
港橋
真田雅則
(1992-2004所属)
ロナウド
(1994-1995所属)
'94アメリカW杯
ブラジル代表
マッサーロ
(1995-1996所属)
'94アメリカW杯
イタリア代表
澤登正朗
(1993-2005所属)

清水第ハプレアデス
(旧清水第ハスポーツクラブ)

清水第ハスポーツクラブは、昭和53(1978)年に清水を本拠地として創部された女子サッカーチームです。

平成19(2007)年に清水第ハプレアデスに改名され、2010年まで日本女子サッカーリーグに所属していました。現在(2019)年は、静岡県女子サッカーリーグに所属しています。

皇后杯全日本女子サッカー選手権大会では、昭和55(1980)年の第2回大会から第8回大会まで7年連続して優勝を果たしました。第9回大会でも準優勝を成し遂げ、日本女子代表を数多く輩出する黄金期を迎えています。

女子サッカーが初めてオリンピック種目となった平成8(1996)年のアトランタ五輪では半田悦子、木岡二葉が選出されました。

クラブの名称は前身となる清水第八青年学級に由来し、また八の字形が地元の名勝・富士山を連想させることや、末広がりのため日本一になる目標にも通じるためであるといわれています。

「プレアデス」は、ギリシャ神話の中で「アトラスの7人の娘がオリオンに追われ星となり、夜空に輝いている」とされている星団の名前で、日本では古来より「昴（すばる）」と呼ばれ親しまれています。この神話を引用し、全日本女子サッカー選手権大会での7連覇を星に例え、平成19（2007）年に「プレアデス」へ改名されています。

●主な成績

年	大会	成績
昭和54（1979）年	第1回皇后杯全日本女子サッカー選手権	準優勝
昭和55（1980）年	第2回皇后杯全日本女子サッカー選手権	優勝
昭和56（1981）年	第3回皇后杯全日本女子サッカー選手権	優勝
昭和57（1982）年	第4回皇后杯全日本女子サッカー選手権	優勝
昭和58（1983）年	第5回皇后杯全日本女子サッカー選手権	優勝
昭和59（1984）年	第6回皇后杯全日本女子サッカー選手権	優勝
昭和60（1985）年	第7回皇后杯全日本女子サッカー選手権	優勝
昭和61（1986）年	第8回皇后杯全日本女子サッカー選手権	優勝
昭和61（1986）年	第1回全日本選抜女子サッカー大会	優勝
昭和62（1987）年	第9回皇后杯全日本女子サッカー選手権	準優勝
昭和62（1987）年	第2回全日本選抜女子サッカー大会	準優勝
平成2（1990）年	第5回全日本選抜女子サッカー大会　2部	優勝
平成3（1991）年	第6回全日本選抜女子サッカー大会　2部	準優勝
平成23（2011）年	第12回東海女子サッカーリーグ	優勝
平成24（2012）年	プレナスチャレンジリーグ昇格（1位通過）	

皇后杯全日本女子サッカー選手権大会で、昭和55（1980）年の第2回大会から第8回大会まで7年連続して優勝をおさめている。

清水から世界へ

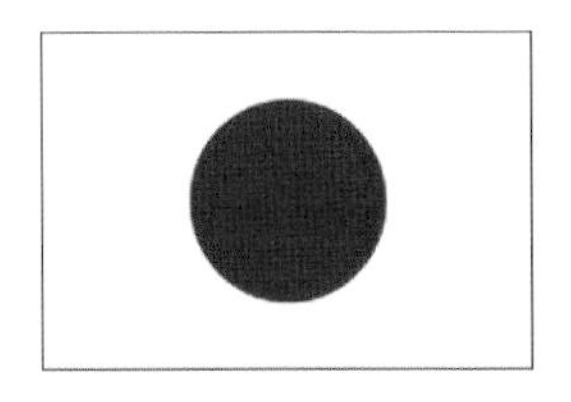

このように、清水サッカーには輝かしい歴史があります。

それは昭和30〜40年代に始まった少年サッカーから続く育成の成果が如実に表れた結果といえます。典型的な例として、「清水東三羽烏」は、昭和52(1977)年に清水FCとして第1回全日本少年サッカー大会で優勝、清水東高に進学して昭和57(1982)年第61回高校サッカー選手権で優勝、その後清水エスパルスへ入団して平成8(1996)年ナビスコカップや平成13(2001)年天皇杯の優勝に貢献、日本代表として世界で活躍するなど、まさに清水サッカーが目指した理想的な育成の形といえます。

平成5(1993)年、惜しくもアジア最終予選で敗退したアメリカW杯"ドーハの悲劇"では、長谷川健太(清水東)、堀池巧(清水東)、大嶽直人(東海大一)、澤登正朗(東海大一)、武田修宏(清水東)、三浦知良(静岡学園)、三浦泰年(静岡学園)が日の丸を背負って戦いました。

日本がW杯初出場を果たした平成10(1998)年のフランス大会では、相馬直樹(清水東)、斉藤俊秀(清水東)、平野孝(清水商)、服部年宏(東海大一)、伊東輝悦(東海大一)ら清水FC出身者、小野伸二(清水商)、名波浩(清水商)、川口能活(清水商)、森島寛晃(東海大一)が名を連ねています。

日本が初めて決勝トーナメントへ進出した平成14(2002)年日韓W杯では、川口能活、服部年宏、西澤明訓(清水東)、小野伸二、市川大祐(エスパルス)、森島寛晃、森岡隆三(エスパルス)、戸田和幸(エスパルス)、三都主アレサンドロ(エスパルス)の顔があります。

続く平成18(2006)年ドイツW杯では川口能活、高原直泰(清水東)、小野伸二、平成22(2010)年の南アフリカW杯では川口能活、内田篤人(清水東)、岡崎慎司(エスパルス)、平成26(2014)年のブラジルW杯では内田篤人、岡崎慎司、平成30（2018）年のロシアW杯では大島僚太（静岡学園）が選出されています。

■アメリカW杯予選のスタメン

監督：ハンス・オフト
※ポジションはイメージです。

平成5（1993）年にドーハで行われたアジア最終予選。日本代表は勝てばW杯初出場となる最終戦（vsイラク代表）。
後半69分FW中山の勝ち越しゴールで予選突破が目前に迫る。ところが2-1のまま向かえたロスタイム、イラクにゴールを許してしまい引き分けで終了。他会場の結果、得失点差で3位となってしまい惜しくも予選敗退。

オリンピックはというと少し時代は遡ります。昭和43（1968）年メキシコ五輪ではFW釜本邦茂は得点王となり、日本は栄光の銅メダルに輝きます。しかし、それ以降の日本は、最終予選突破まであと一歩に迫りながら予選敗退が続いてしまいます。昭和59（1984）年ロサンゼルス五輪では風間八宏（清水商）、昭和63（1988）年ソウル五輪では森下申一（静岡学園）、堀池巧、武田修宏が代表として予選を戦っています。

平成4（1992）年のバルセロナ五輪では本大会出場が23歳以下に限定され、大学生中心のメンバーとなり、堀池洋充（清水東）、相馬直樹、藤田俊哉（清水商）、三浦文丈（清水商）ら清水FC出身者、澤登正朗、名波浩が選出されています。

日本代表がメキシコ五輪以来の本大会出場という悲願を成し遂げたのは平成8（1996）年のアトランタ五輪です。川口能活、伊東輝悦、白井博幸

（東海大一）、服部年宏、田中誠（清水商）、松原良香（東海大一）が選出され、グループリーグでブラジル代表を1対0で下す“マイアミの奇跡”を起こします。

続く平成12（2000）年シドニー五輪では森岡隆三、高原直泰が選出され、本大会のベスト8まで進みます。平成16（2004）年アテネ五輪では小野伸二、菊地直哉（エスパルスユース）、黒河貴矢（エスパルス）、平成20（2008）年北京五輪では山本海人（エスパルス）、本田拓也（エスパルス）、岡崎慎司、内田篤人、平成24（2012）年ロンドン五輪では村松大輔（エスパルス）、平成28（2016）年リオデジャネイロ五輪では大島僚太が選出されています。

このように、清水の地から、多くのプロサッカー選手、代表選手が誕生していったのです。

■アトランタ五輪のスタメン

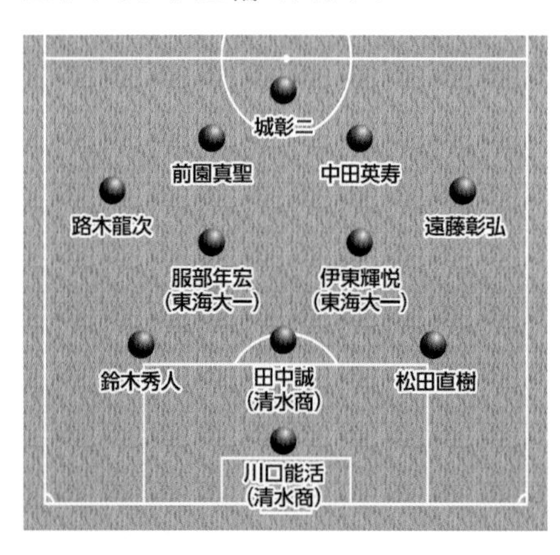

アトランタ五輪のグループリーグ初戦、相手は優勝候補筆頭のブラジル代表。
前半から後半にかけて圧倒的なブラジルペースをGK川口中心になんとか耐え凌ぐ。後半27分、ブラジルの守備陣の一瞬の隙をつき伊東が得点を奪う。この1点を全員で守り抜き1-0で勝利に結びつく。

監督：西野朗
※ポジションはイメージです。

江尻小学校前の歩道の車止めには、これまでのワールドカップで使用された公式球のデザインが彫られています。

1970年メキシコ大会

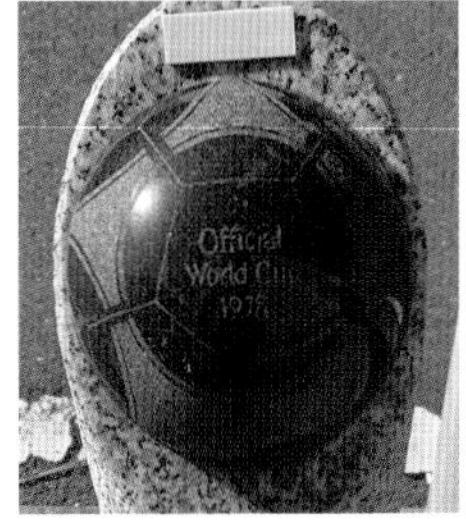

1978年アルゼンチン大会

1982年スペイン大会

2002年日韓大会

1986年メキシコ大会

1994年アメリカ大会

1998年フランス大会

■ワールドカップ歴代出場選手

●平成2年（1990）年イタリア大会1次予選

堀池巧（清水東）／長谷川健太（清水東）／大榎克己（清水東）／森下申一（静岡学園）

●平成6（1994）年アメリカ大会最終予選

大嶽直人（東海大一）／堀池巧（清水東）／三浦泰年（静岡学園）／澤登正朗（東海大一）／武田修宏（清水東）／三浦知良（静岡学園）／長谷川健太（清水東）

●平成10（1998）年フランス大会

名波浩（清水商）／平野孝（清水商）／相馬直樹（清水東）／服部年宏（東海大一）／森島寛晃（東海大一）／小野伸二（清水商）／伊東輝悦（東海大一）／斉藤俊秀（清水東）／川口能活（清水商）

●平成14（2002）年日韓大会

森島寛晃（東海大一）／小野伸二（清水商）／市川大祐（エスパルス）／森岡隆三（エスパルス）／西澤明訓（清水東）／三都主アレサンドロ（エスパルス）／服部年宏（東海大一）／戸田和幸（エスパルス）／川口能活（清水商）

●平成18（2006）年ドイツ大会

高原直泰（清水東）／小野伸二（清水商）／川口能活（清水商）

●平成22（2010）年南アフリカ大会

川口能活（清水商）／内田篤人（清水東）／岡崎慎司（エスパルス）

●平成26（2014）年ブラジル大会

内田篤人（清水東）／岡崎慎司（エスパルス）

●平成30（2018）年ロシア大会

大島僚太（静岡学園）

■オリンピック歴代出場選手

●昭和39（1964）年東京五輪

杉山隆一（清水東）

●昭和43（1968）年メキシコ五輪

杉山隆一（清水東）

●昭和59（1984）年ロサンゼルス五輪

風間八宏（清水商）

●昭和63（1988）年ソウル五輪

森下申一（静岡学園）／堀池巧（清水東）／武田修宏（清水東）

●平成4（1992）年バルセロナ五輪

堀池洋充（清水東）／相馬直樹（清水東）／藤田俊哉（清水商）／三浦文丈（清水商）／澤登正朗（東海大一）／名波浩（清水商）

●平成8（1996）年アトランタ五輪

松原良香（東海大一）／服部年宏（東海大一）／伊東輝悦（東海大一）／田中誠（清水商）／白井博幸（東海大一）／川口能活（清水商）

●平成12（2000）年シドニー五輪

高原直泰（清水東）／森岡隆三（エスパルス）

●平成16（2004）年アテネ五輪

小野伸二（清水商）／菊地直哉（エスパルスユース）／黒河貴矢（エスパルス）

●平成20（2008）年北京五輪

岡崎慎司（エスパルス）／山本海人（エスパルス）／内田篤人（清水東）／本田拓也（エスパルス）

●平成24（2012）年ロンドン五輪

村松大輔（エスパルス）

●平成28（2016）年リオデジャネイロ五輪

大島僚太（静岡学園）

■U-20ワールドカップ歴代出場選手

※FIFA U-20ワールドカップ（2005年まではFIFAワールドユース選手権）は20歳以下のナショナルチームによる世界大会です。

●平成7（1995）年U-20
安永聡太郎（清水商）／森岡隆三（エスパルス）／伊藤卓（東海大一）／山西尊裕（清水東）

●平成9（1997）年U-20
南雄太（静岡学園）／戸田和幸（エスパルス）

●平成11（1999）年U-20
高原直泰（清水東）／小野伸二（清水商）／南雄太（静岡学園）

●平成13（2001）年U-20
池田昇平（エスパルス）／黒河貴矢（エスパルス）

●平成15（2003）年U-20
小林大悟（清水商）／菊地直哉（エスパルスユース）／谷澤達也（静岡学園）／永田充（静岡学園）

●平成17（2005）年U-20
水野晃樹（清水商）／小林祐三（静岡学園）／山本海人（エスパルス）

●平成19（2007）年U-20
内田篤人（清水東）／武田洋平（エスパルス）

●平成23（2011）年U-20
風間宏希（清水商）

●平成25（2013）年U-20
大島僚太（静岡学園）／風間宏矢（清水商）／櫛引政敏（エスパルス）

●平成27（2015）年U-20
三浦弦太（エスパルス）／金子翔太（エスパルス）／北川航也（エスパルス）／高木和徹（エスパルス）

■オリンピック歴代監督コーチ

反町康治（清水東）　監督（2006年北京五輪）

■日本代表歴代監督コーチ

反町康治（清水東）　コーチ（2006年～2007年）
大木武（清水東）　　コーチ（2007年～2011年）

※（　）内のうち「高校名」は出身校、「エスパルス」は選抜当時エスパルスに所属していたことを表しています。

「志を高く夢に向かって
長沼健（元サッカー協会会長）」

おわりに

さて、最後に本書の目的の1つである地方都市の話で締めくくります。

今、地方都市は活力を失いつつあります。

活力を失うと、ただでさえ全国的に人口が減少し続けているのですから、お店や会社は閉まり、生活は不便になり、ますます住む人が減っていくという悪循環に陥ります。

活力がある街には、人が集まり、お店や会社も増え、生活は便利になり、住む人が増えるという好循環が生まれます。

そこで、どこの自治体も、人が集まり、賑わいを創出するための特色を模索しています。サッカークラブを誘致し、サッカーのまちとして地域のPRを考える自治体も少なくありません。

幸いにも清水には古くから“サッカーのまち”としての市民の活力と“港”があります。「出身はどこですか?」と聞かれ「清水です」と答えれば「あのサッカーで有名な」となるようにPRは続けていくべきです。先人たちが築き上げてきた“サッカーのまち清水”をみすみす消滅させてしまうわけにはいきません。

明治から昭和にかけて、物流、造船、物流、漁業など様々な産業で栄華を誇った清水ですが、1980年代をピークとして、バブル崩壊や全国的な産業構造の変化による不景気に飲み込まれました。そんな時に市民の活力となったのが小・中・高校サッカーの躍進であり、清水エスパルスの創設でした。

令和の現代においても地方の衰退化の波がジリジリと押し寄せてきます。

一方で、新たな活力として、清水には海洋研究に関わる大学や研究機関が集積し、日本を代表する海洋文化都市となる可能性を秘めています。平成25年の富士山世界遺産登録などを契機とした観光、豪華客船(クルーズ船)の来航も追い風です。

“サッカーのまち”と“海”をキーワードに、これからも清水が活気ある街であり続け、全国に誇れる街として発展し続けることを願ってやみません。

S-PULSE
SHIZUOKA SHIMIZU
S-PULSE
SHIZUOKA SHIMIZU
OUR ORANGE,
OUR SYMBOL
エスパルスのある街
静岡市

(参考)清水のサッカーチーム(U-12)

サッカーを始めるのに早い遅いはないと思います。大切なのはサッカーが好きになる環境、サッカーが上手くなりたいと思う環境を見つけることです。

【表の見方】

❶	チーム名
❷	練習会場
❸	練習曜日
❹	中学生の部の有無
❺	園児の部の有無
❻	ホームページの有無

【少年団・クラブチーム】

❶	①江尻サッカースポーツ少年団
❷	江尻小学校グラウンド
❸	月・火・水・金・土
❹	無
❺	有
❻	www.plaza3.dws.ne.jp/~heb09251

❶	②辻サッカースポーツ少年団
❷	辻小グラウンド
❸	月・水・金・土
❹	無
❺	有
❻	無

❶	③浜田サッカースポーツ少年団
❷	浜田小グラウンド
❸	火・水・金
❹	無
❺	有
❻	無

❶	④岡小サッカースポーツ少年団
❷	岡小グラウンド
❸	火・水・木・金
❹	無
❺	無
❻	無

❶	⑤清水船越ヴァーモス
❷	船越小学校グラウンド
❸	月・水・金・土
❹	無
❺	有
❻	無

❶	⑥清水プエルトサッカークラブ
❷	清水小学校グラウンド
❸	月・火・木・金・土・日
❹	無
❺	有
❻	www.puerto-sc.com

❶	⑦不二見サッカースポーツ少年団
❷	不二見小学校グラウンド
❸	月・火・木・土
❹	無
❺	有
❻	無

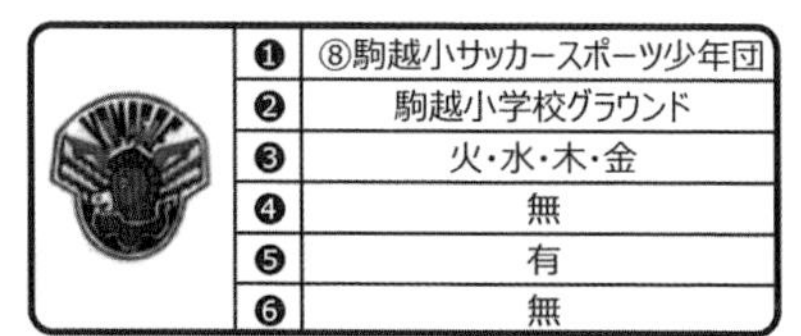

❶	⑧駒越小サッカースポーツ少年団
❷	駒越小学校グラウンド
❸	火・水・木・金
❹	無
❺	有
❻	無

❶	⑨三保FC
❷	三保第一小学校グラウンド
❸	月・水・金
❹	無
❺	有
❻	無

❶	⑩TOKAIスポーツアカデミー
❷	ブルーオーシャンフィールド
❸	月・水・金・土・日
❹	有
❺	有
❻	www.tsaclub.net

❶	⑯庵原SCサッカースポーツ少年団
❷	庵原小学校グラウンド
❸	月・火・木・金・土・日
❹	有（チャレサカ）
❺	有（チャレサカ）
❻	無

❶	⑪清水北サッカースポーツ少年団
❷	高部東小グラウンド
❸	火・水・木・金
❹	無
❺	有
❻	無

❶	⑰興津サッカースポーツ少年団
❷	興津小学校グラウンド
❸	火・水・木・金
❹	無
❺	無
❻	無

❶	⑫高部JFC
❷	大内遊水地多目的広場
❸	水・木・金
❹	無
❺	有
❻	www.geocities.jp/takabejfc2012/

❶	⑱SALFUS oRs
❷	小島小学校グラウンド
❸	火・水・木・金
❹	有
❺	スクール活動有
❻	www.salfus.co.jp

❶	⑬有度フットボールクラブ
❷	有度第一小学校グラウンド他
❸	火・水・木・金・土・日
❹	有
❺	有
❻	www.udofc.com

❶	⑲由比サッカースポーツ少年団
❷	由比小学校グラウンド
❸	月・火・水・木・金
❹	無
❺	有
❻	無

❶	⑭入江サッカースポーツ少年団
❷	入江小学校グラウンド
❸	月・木・金
❹	無
❺	有
❻	無

❶	⑳RISE SPORTS CLUB
❷	蒲原西小学校グラウンド
❸	火・木・金・土・日
❹	有
❺	有
❻	rise-sportsclub.com

❶	⑮飯田ファイターズサッカースポーツ少年団
❷	飯田小学校グラウンド
❸	火・木・金・土
❹	無
❺	有
❻	無

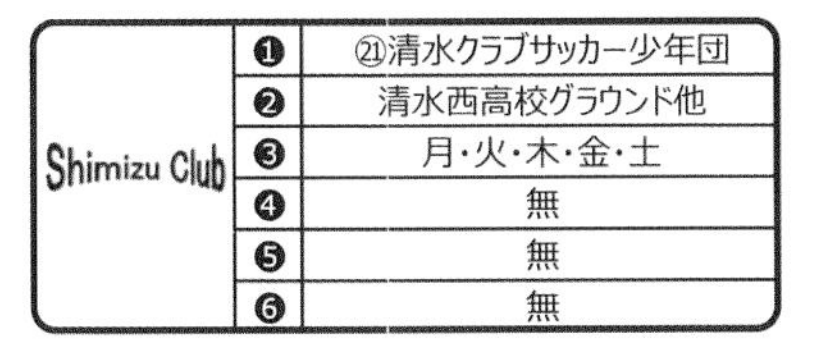

❶	㉑清水クラブサッカー少年団
❷	清水西高校グラウンド他
❸	月・火・木・金・土
❹	無
❺	無
❻	無

	❶	㉒清水エスパルスU-12清水
	❷	鈴与三保育成グラウンド
	❸	4年時セレクション有
	❹	有
	❺	無
	❻	www.s-pulse.co.jp

	❶	㉓VALOR FC
	❷	清水四中グラウンド他
	❸	月・火・水・金・土・日
	❹	有
	❺	有
	❻	無

	❶	㉔袖師SSS
	❷	袖師小グラウンド
	❸	火・水・金・土
	❹	無
	❺	無
	❻	www.sodeshisss.com

	❶	㉕GAREINO清水
	❷	入江小学校グラウンド他
	❸	月・火・水・金・土
	❹	無
	❺	有
	❻	無

【女子単独チーム】

	❶	㉖清水フットボールクラブ女子
	❷	浜田小グラウンド
	❸	火・水・木・土・日
	❹	有
	❺	スクール活動有
	❻	www.shimizu-fc.main.jp

	❶	㉗GFC清水北サッカースポーツ少年団
	❷	高部東小グラウンド
	❸	月・火・金
	❹	無
	❺	無
	❻	無

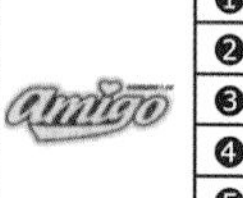	❶	㉘蒲原FCアミーゴレディース
	❷	蒲原東小学校グラウンド
	❸	火・木・土
	❹	無
	❺	無
	❻	無

【園児単独チーム】

母体	東海幼稚園
チーム名	興津東海スポーツクラブ
HP	www.palangel.jp/r2/us/tokai

※チームに所属するには入園が必要になります

母体	みどりが丘保育園
チーム名	みどりキッカーズ
HP	

※チームに所属するには入園が必要になります

母体	東海大学付属静岡翔洋幼稚園
チーム名	東海大学付属静岡翔洋幼稚園SC
HP	fuzoku-you-syo-tokai.ed.jp/you/

※チームに所属するには入園が必要になります

母体	NPO法人清水サッカー協会
チーム名	清水FCチャイルド
HP	www.nposhifa.net

※2020年現在

連絡先などのお問い合わせは協会へ

一般財団法人静岡県サッカー協会中東部支部・NPO法人清水サッカー協会
〒424−0924 静岡県静岡市清水区清開2-1-1 清水総合運動場体育館内
TEL：054-337-0302　FAX：054-337-0722
ホームページ http://www.nposhifa.net/
メールアドレス shifa@bj.wakwak.com

富士川河川敷サッカー場（写真：Yoshitaka / PIXTA）

風岡範哉

1978年旧清水市生まれ。24歳のとき静清合併を経験する。小学時代は清水FCのセレクションにはあえなく落選。高校時代は清水の強豪校サッカー部に入部するも三軍に入れず。それでもサッカーで鍛えた体力と精神力はその後の人生の大きな糧となっている。2020年にサッカーのまち清水をモチーフとしたオリジナルブランド“football kingdom”設立。JERRY氏のイラストによるTシャツや雑貨を展開。

● 清水サッカーにかかわる情報は下記メールへ
【E-mail】 sfootballkingdom@gmail.com

● オリジナルグッズのラインナップは下記サイトへ
【URL】 https://www.football-kingdom.com/

イラストレーター JERRY

1966年長崎市生まれ。北九州大学卒。
1991年講談社アフタヌーン四季賞、双葉社アクション新人賞などを経てマンガ家として数年活動、96～97年頃にイラスト方面にシフト。
現在は雑誌や書籍、グッズやパッケージ用のイラストなどで活動。
Glam33やJanis & JerryにてオリジナルTシャツやスポーツアパレルブランドのsoccer junkyおよびJUNRedとのコラボなど。

● 仕事内容
イラスト、挿絵、似顔絵、ロゴキャラなど。
雑誌関連 / CDジャケット / 書籍カバー / 広告関連 / Tシャツや雑貨などグッズ関連

● 過去のイラスト掲載誌
MUSIC MAGAZINE / レコードコレクターズ / TARZAN / Begin / ダ・ヴィンチ / WHAT'S IN? / 日経パソコン / MEN'S CLUB / Blues&Soul Records / Sportiva / STARsoccer / BIG tomorrow / スコラ / スーパー写真塾 / ゼクシィ / AL SUR / 赤ちゃんとママ / QuickJapan / Boon / BURST / MacPeople / La pomme / Bicycle Navi / ZAi / 優駿 / 競馬最強の法則 / ワールドサッカーダイジェスト / BAILA / VOCE / GetNavi etc...

● 過去のマンガ掲載誌
WEEKLYアクション / コミックスコラ / GARO / COMIC CUE / パチスロセブン / カフェ / 珈琲通信 / サンガタイムズ etc...

● Comic単行本
ココナッツクラッシュ / 短編集（青林堂）
Short and Curlies ショート&カーリーズ / 短編集（創英社）

サッカーのまち清水　2021年版

2021年6月18日　第1刷発行

著　風岡範哉（かざおかのりちか）

画　イラストレーター　JERRY

発行者　太田宏司郎

発行所　株式会社パレード
　大阪本社　〒530-0043　大阪府大阪市北区天満2-7-12
　　TEL 06-6351-0740　FAX 06-6356-8129
　東京支社　〒151-0051　東京都渋谷区千駄ヶ谷2-10-7
　　TEL 03-5413-3285　FAX 03-5413-3286
　https://books.parade.co.jp

発売元　株式会社星雲社（共同出版社・流通責任出版社）
　〒112-0005　東京都文京区水道1-3-30
　TEL 03-3868-3275　FAX 03-3868-6588

ブックデザイン　藤山めぐみ（PARADE Inc.）
編集協力　下牧しゅう（PARADE Inc.）

印刷所　創栄図書印刷株式会社

ISBN 978-4-434-28650-6　C0026